D0513617

BOMBARDIER

L'internationalisation d'un rêve

1942-1992

BOMBARDIER

L'internationalisation d'un rêve

*Marques de commerce de
Bombardier Inc.
ou de ses filiales

800, boul. René-Lévesque Ouest
Montréal (Québec)
Canada H3B 1Y8

Dépôt légal : 3e trimestre 1992
Bibliothèque nationale du Québec
ISBN 2-921393-08-5

Imprimé au Canada

TABLE DES MATIÈRES

L'internationalisation d'un rêve

L'album intitulé « L'internationalisation d'un rêve » s'inscrit dans la célébration du demi-siècle qui s'est écoulé depuis la création de L'Auto-Neige Bombardier Limitée, le 10 juillet 1942. Il se veut à la fois un hommage à Joseph-Armand Bombardier, qui avait un rêve et qui a su le concrétiser, et un témoignage de l'évolution technique, industrielle et commerciale de notre entreprise au cours des 50 dernières années.

Depuis l'invention, la mise en production et l'entrée sur le marché de l'autoneige B7*, jusqu'aux projets d'envergure qui visent aujourd'hui à nous assurer une place dans l'économie globale, notre entreprise a parcouru un long chemin, jalonné d'importantes réalisations : le lancement en 1959 de la motoneige Ski-Doo*, l'invention qui a fait la renommée de Joseph-Armand Bombardier; l'acquisition de la société autrichienne Rotax en 1969, première étape de l'implantation industrielle en Europe; l'entrée dans le domaine du matériel de transport en commun en 1974 avec le contrat de fabrication de voitures pour le métro de Montréal; l'obtention de l'importante commande de voitures pour le métro de New York en 1982; la diversification dans le domaine de l'aéronautique par l'acquisition de Canadair en 1986; et l'expansion nationale et internationale avec l'arrivée de BN, Shorts, ANF-Industrie, Bombardier Prorail, Learjet, UTDC, de Havilland et Concarril.

À ceux et celles qui ont participé au récent passé de notre entreprise, ces pages offriront, je l'espère, le plaisir qu'on éprouve en parcourant un album de famille. Aux autres, elles devraient apporter une vision plus complète, et peut-être aussi plus intime, de l'évolution de Bombardier.

Le président du Conseil et chef de la Direction,
BOMBARDIER INC.,

Laurent Beaudoin
Septembre 1992

Joseph-Armand Bombardier : génie inventif et esprit d'entreprise

L'homme qui allait créer en 1942 L'Auto-Neige Bombardier Limitée naît en 1907 près du village de Valcourt, dans les Cantons-de-l'Est du Québec.

Passionné de mécanique dès son enfance, Joseph-Armand Bombardier caresse le rêve d'inventer un véhicule motorisé capable de circuler sur les routes enneigées et de sortir ainsi les populations des régions rurales ou éloignées de leur isolement hivernal.

Dès l'âge de 19 ans, il s'établit comme garagiste à Valcourt pour exercer son métier de mécanicien. Pendant les 10 années qui suivent, il consacre la plupart de ses moments libres à des travaux de recherche et à des expériences, faisant preuve d'une ardeur et d'une détermination peu communes.

De 1926 à 1935, ses travaux l'amènent à développer divers prototypes de véhicules, allant des modèles légers à une ou deux places jusqu'aux modèles de plus grande taille. Les moteurs d'automobile qu'il utilise ne lui donnant pas entière satisfaction, l'inventeur en vient à explorer les possibilités de mettre au point et de fabriquer son propre moteur. Il fait aussi l'essai de plusieurs types de chenilles.

En 1935, confronté aux difficultés que pose le manque de moteurs adéquats dans la mise au point des petits modèles, Joseph-Armand Bombardier se tourne résolument vers la production de véhicules plus lourds, capables d'accueillir plusieurs passagers. À l'été de 1936, il entreprend la fabrication d'une « autoneige » à sept places, pour laquelle il met au point un mécanisme de train arrière et de suspension révolutionnaire qui lui permet enfin de résoudre à sa satisfaction les problèmes de circulation sur la neige.

Cette autoneige, désignée B7, fait l'objet de la première demande de brevet de l'inventeur, déposée à Ottawa le 21 décembre 1936. Joseph-Armand Bombardier en vend rapidement une vingtaine.

L'obtention du brevet en juin 1937 couronne 10 ans d'efforts et de travail et consacre le génie inventif de Joseph-Armand Bombardier. Elle ouvre la voie à l'exploitation commerciale des autoneiges Bombardier.

Les deux décennies qui suivent verront la naissance d'une entreprise et son cheminement vers la prospérité.

Le Garage Bombardier, ouvert en 1926 à Valcourt, dans la région des Cantons-de-l'Est du Québec.

Pour le modèle d'autoneige de 1935, l'inventeur conçoit un barbotin (roue dentée recouverte de caoutchouc) et un système de chenilles de caoutchouc, deux innovations qui représentent un tournant crucial dans ses recherches. C'est d'ailleurs pour en souligner l'importance que la roue dentée sera incorporée au logo de l'entreprise en 1959.

Le B7, aussi connu sous l'appellation familière de « Snow » : l'entreprise en produira environ 150 entre 1937 et 1942.

L'Auto-Neige Bombardier : des débuts prometteurs

Bien que la constitution en société de L'Auto-Neige Bombardier date de 1942, l'inventeur décide d'entreprendre dès 1937 la fabrication et la commercialisation de son véhicule B7, pour lequel il entrevoit un bel avenir.

Le garagiste se transforme ainsi en industriel et l'inventeur se double d'un entrepreneur. Il s'entoure d'une petite équipe d'ouvriers dont il assure lui-même la formation et associe des membres de sa famille à la conduite de ses affaires. Tout en cumulant les fonctions de président, de chef ingénieur et de chef de la production, il veille à mettre sur pied un réseau de vente et à élaborer des moyens de commercialisation destinés à faire connaître les avantages du produit qu'il a inventé.

À compter de 1937, la demande pour le B7 ne cesse de croître car, dans les régions isolées par l'hiver, le véhicule répond bien aux besoins de transport sur neige de toute une clientèle : médecins de campagne et vétérinaires, propriétaires de taxis ou d'autobus, hôteliers, commerçants, compagnies distributrices d'électricité, compagnies de services téléphoniques et entrepreneurs forestiers.

Pour suffire à la demande, Joseph-Armand Bombardier fait construire en 1940 une usine moderne d'une capacité de production de 200 véhicules par an. L'année suivante, il met au point une deuxième autoneige, nommée B12*, plus spacieuse et plus puissante que le modèle B7.

Mais la prospérité entrevue à la fin des années 30 tardera à venir. Avec l'entrée en guerre du Canada à l'automne 1939 et la promulgation en 1941 de mesures destinées à supporter l'effort de guerre, L'Auto-Neige Bombardier verra sa survie menacée. Des restrictions sur les machines-outils et la consommation d'énergie, puis sur les véhicules motorisés entraînent un déclin marqué de la production d'autoneiges. Celle-ci passe de 70 unités en 1940-1941 à 27 en 1942-1943, en dépit d'une forte demande du marché civil.

Comme la plupart des industries canadiennes, L'Auto-Neige Bombardier doit participer à l'effort de guerre. Joseph-Armand Bombardier se rend vite compte qu'il sera mieux armé pour faire affaires avec les milieux gouvernementaux s'il donne un cadre légal à son exploitation. De plus, son désir de faire bénéficier ses proches collaborateurs des réalisations de l'entreprise naissante l'amène à rechercher une structure administrative plus formelle.

Voilà pourquoi, le 10 juillet 1942, est constituée L'Auto-Neige Bombardier Limitée, dont le siège social est établi à Valcourt (Québec) et dont le capital autorisé est de 3000 actions.

Joseph-Armand Bombardier, ses frères Alphonse-Raymond, Léopold et Gérard, ainsi que la secrétaire-trésorière Marie-Jeanne Dupaul en sont alors les seuls actionnaires. Peu après, Germain, fils aîné de Joseph-Armand, et l'ingénieur Roland Saint-Pierre se joindront à eux. C'est cette équipe qui sera responsable de la croissance de l'entreprise pendant les 22 prochaines années.

L'équipe de direction de 1942 : (en haut) Alphonse-Raymond Bombardier, vice-président; Joseph-Armand Bombardier, président; et Marie-Jeanne Dupaul, secrétaire-trésorière; (en bas) Gérard Bombardier, directeur de la production; et Léopold Bombardier, directeur de l'entretien.

Document publicitaire de 1939, expédié par la poste à un vaste éventail de clients potentiels.

L'AUTO-NEIGE "BOMBARDIER" SNOWMOBILE

VALCOURT, CO. SHEFFORD, QUE.

•

Livraisons le ou avant le 31 août, LISTE $1425.00 f. à b. Valcourt
" " " " " 30 sept. " 1440.00 " "
" " " " " 31 oct. " 1455.00 " "
" " " " " 30 nov. " 1470.00 " "
" " " ', " 31 déc. " 1485.00 " "
Livraisons en janv. et fév. Prix rég. de 1500.00 f. à b. Valcourt

Les voitures 1939 sont toutes identiques,à 7 passagers et équipées avec moteurs FORD V-8, 85 c.v., dégivreur et chaufferette.

En vue de stimuler la vente à bonne heure le fabricant se fait un plaisir d'offrir au public ces prix réduits, ce qui lui permettra d'avoir une meilleure idée de la demande et de mieux servir ses clients.

Le fabricant compte sur la bonne volonté de ses agents pour annoncer ces réductions de prix à leurs clients probables et leur faire bénéficier des avantages offerts.

P. S. Le fabricant se réserve aussi le droit de modifier les prix plus haut mentionnés sans aucun avis.

L'autoneige B12 de 1941 : elle sera produite en diverses versions jusqu'en 1982.

La production du temps de guerre

Pendant que la Deuxième Guerre mondiale met en veilleuse la production d'autoneiges civiles à l'usine de Valcourt nouvellement construite, les militaires canadiens et leurs alliés réclament des véhicules capables de transporter les troupes sur les terrains d'opérations enneigés.

Répondant à l'offre de service de Joseph-Armand Bombardier, le ministère canadien des Munitions et des Approvisionnements se procure un B12 pour en faire l'examen dès 1941.

Au début de l'année suivante, Joseph-Armand Bombardier se voit confier le mandat de mettre au point un prototype d'autoneige militaire en s'inspirant du concept du B12. La nouvelle machine est destinée au transport de troupes pour une opération qui doit se dérouler dans le nord de la Norvège.

En quelques semaines seulement, l'inventeur conçoit et fabrique le prototype du véhicule qui sera désigné B1*, y incorporant plusieurs innovations techniques pour lesquelles il demande des brevets au Canada et aux États-Unis. L'armée canadienne en commande 130.

Les délais de quatre mois accordés pour la livraison sont cependant trop courts pour la capacité de l'usine de Valcourt. Une grande partie de la production doit donc être réalisée dans les ateliers d'entreprises montréalaises, sous la direction de Joseph-Armand Bombardier.

En 1943, l'inventeur reçoit un nouveau mandat. Il s'agit, cette fois, de concevoir un prototype d'autoneige blindée à chenilles qui sera nommé Kaki* et qui subira des essais dans la région de Valcourt du printemps à l'automne de la même année.

Les résultats encourageants de ces essais amènent alors l'inventeur à mettre au point la première d'une série d'autoneiges blindées, le Mark* I, qui soulève l'enthousiasme des militaires. Dans ce cas encore, l'essentiel de la fabrication est confié à d'autres entreprises. Jusqu'à la fin de la guerre et même au cours de 1946, l'armée apportera diverses modifications à ce véhicule, qui deviendra le Mark 2, aussi connu sous le nom anglais de Penguin, puis le Mark 3.

Plus de 1900 véhicules chenillés sont construits pour fins militaires d'après des concepts de Joseph-Armand Bombardier entre 1942 et 1946. Mais l'entreprise de Valcourt n'en tire que peu de bénéfices, si ce n'est celui de survivre en fabriquant des prototypes et des composants.

Pour sa part, l'inventeur doit renoncer aux redevances sur l'utilisation de ses brevets dans les véhicules militaires. Sa participation à l'effort de guerre lui permet, toutefois, de perfectionner ses connaissances techniques et de raffiner les divers systèmes de ses véhicules. C'est ainsi que les véhicules Bombardier d'après-guerre bénéficieront de quatre importantes améliorations pour lesquelles des brevets sont demandés entre 1943 et 1946 : un dispositif de support de roues (Wheel Mounting), un dispositif de traction (Traction Device), une suspension à ressorts (Vehicle Spring Suspension) et une roue de commande recouverte de caoutchouc adhésif (Sprocket Wheel).

Le barbotin (Sprocket Wheel)
mis au point en 1943 et breveté en 1945
représente une amélioration importante sur celui de 1936.

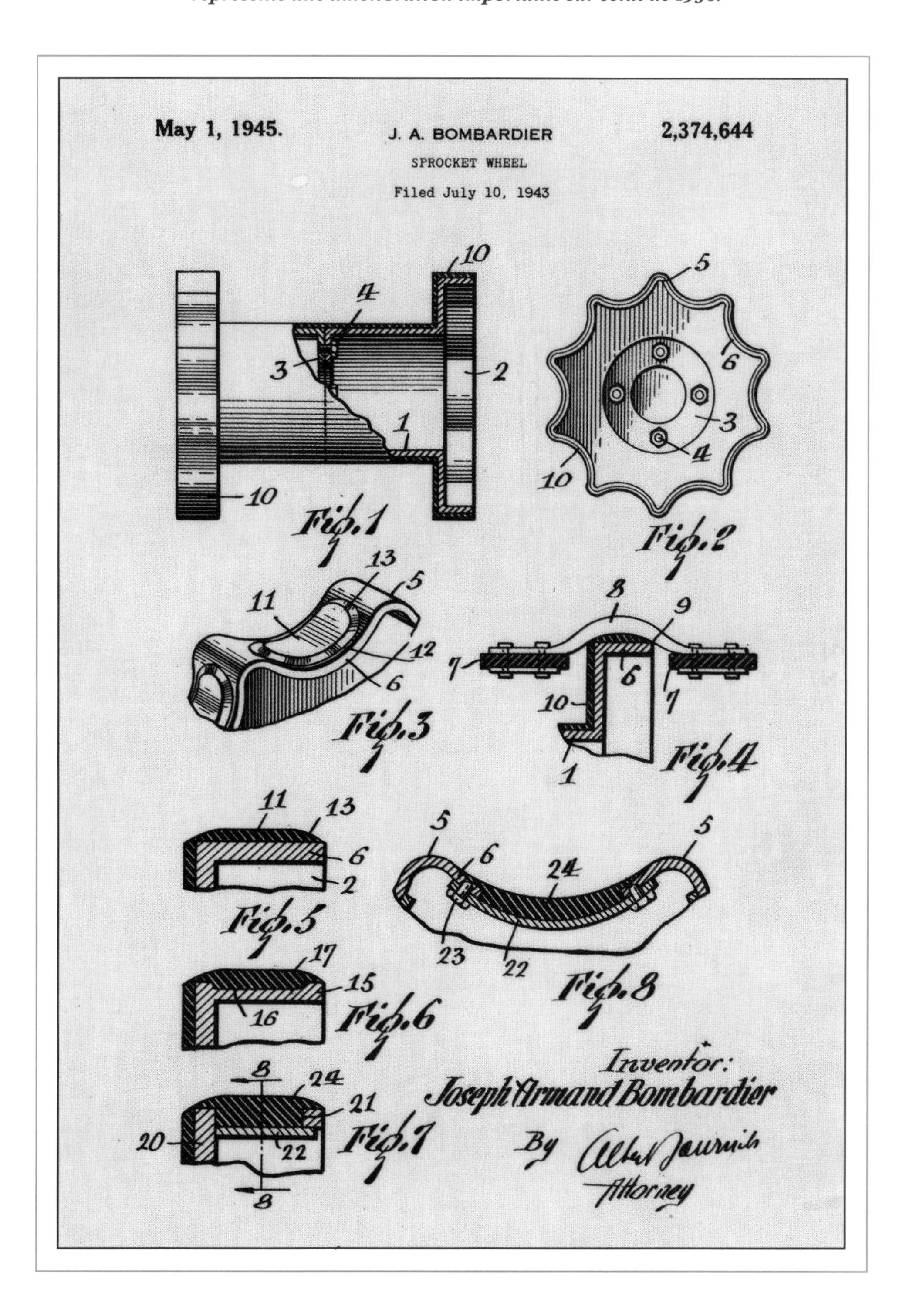

Les essais sur l'autoneige blindée Kaki se déroulent dans la région de Valcourt en 1943.

En février 1946, dans le cadre d'une opération de l'armée canadienne, 12 autoneiges Penguin effectuent un parcours de plus de 1600 kilomètres entre Churchill (Manitoba), le cercle polaire et Edmonton (Alberta).

La prospérité d'après-guerre

En dépit des restrictions, la production d'autoneiges civiles a pu continuer à Valcourt durant la guerre, en réponse aux besoins des détenteurs de permis spéciaux. Elle a, en fait, augmenté d'année en année, passant de 27 unités en 1942-1943 à 230 en 1945-1946.

Avec la levée progressive des restrictions, la demande se fait de plus en plus vive et la capacité de l'usine de 1940 ne suffit plus. Après un premier agrandissement en 1946, L'Auto-Neige Bombardier se dote en 1947 d'une vaste usine de montage en série d'une capacité de 1000 unités.

Deux produits assurent la prospérité de l'entreprise au cours de ces années d'après-guerre : le B12 et le C18.*

Véhicule polyvalent, l'autoneige B12 sert au transport en commun, au transport de matériaux, aux livraisons postales et aux services d'ambulance et de sauvetage. Elle permet également d'accéder aux lignes de transmission des compagnies d'électricité et de téléphone ainsi qu'aux sites de prospection et d'exploitation forestière. Entre 1945 et 1952, L'Auto-Neige Bombardier en vend quelque 1600.

C'est pour répondre à un besoin qui se dessine dans les Cantons-de-l'Est du Québec, soit le transport hivernal des élèves des écoles protestantes, que l'entreprise de Valcourt commence à fabriquer l'autoneige «scolaire» C18 en 1945. Le véhicule, qui est une version élargie du B12, peut accueillir 25 écoliers. Il connaîtra une grande popularité au cours des années suivantes dans plusieurs régions du Québec et de l'Ontario.

Au-delà de la qualité technique et de l'utilité de ces véhicules, les succès remportés sur le marché reflètent l'efficacité de la promotion et la bonne organisation du service des ventes de L'Auto-Neige Bombardier. Sous la direction dynamique d'Alphonse-Raymond Bombardier, le réseau de représentation et de distribution s'étend à l'ensemble du Canada et couvre les principales régions du nord des États-Unis. Quelques percées sont, par ailleurs, réalisées dans divers autres pays, où des besoins précis ont été identifiés.

Bien appuyé sur le plan commercial, l'inventeur peut de nouveau se consacrer à ses recherches, qui portent principalement à cette époque sur l'amélioration de la chenille de 1937 pour la rendre plus flexible et plus solide.

En 1947-1948, le chiffre d'affaires de L'Auto-Neige Bombardier atteint 2,3 millions de dollars, comparativement à 211 800 dollars en 1942-1943. Des bénéfices de 324 000 dollars témoignent d'une prospérité retrouvée.

Cependant, en 1948-1949(1), la mise en vigueur d'une politique du gouvernement du Québec qui prône le déneigement des routes rurales vient porter un dur coup au marché des autoneiges. Le carnet de commandes de L'Auto-Neige Bombardier se dégarnit rapidement et, en un an, les ventes chutent de un million de dollars.

De nouveau, Joseph-Armand Bombardier doit réorienter la vocation de sa compagnie.

(1) Le 16 décembre 1949, le nom de la Société a été changé par lettres patentes supplémentaires à : L'Auto-Neige Bombardier Limitée / Bombardier Snowmobile Limited.

C'est après la guerre que se précisent les multiples applications de l'autoneige B12.
Le véhicule est employé notamment pour les services postaux
et pour le transport des billots.

Plusieurs des représentants accrédités de L'Auto-Neige Bombardier sont des concessionnaires de marques d'automobiles qui disposent d'ateliers de réparation et de magasins de pièces leur permettant d'assurer un bon service après-vente.

Les commissions scolaires protestantes de la région des Cantons-de-l'Est du Québec deviennent en novembre 1945 les premiers propriétaires des autoneiges C18.

Nouveaux produits, nouveaux marchés

Dès l'hiver 1948-1949, Joseph-Armand Bombardier s'engage dans des recherches intensives pour créer des produits capables de prendre la relève des autoneiges dans de nouvelles fonctions.

Au centre expérimental qu'il vient de faire construire dans le village de Kingsbury, à proximité de Valcourt, il modifie le B12 pour l'adapter au chargement et au transport du bois ou aux besoins des acheteurs. Il met aussi au point plusieurs prototypes, dont le C4* tout chenilles et le B5* doté d'un système interchangeable de roues et de patins.

Aux yeux de l'inventeur, aucun de ces véhicules ne peut, cependant, susciter la demande qu'il faut pour assurer un retour au niveau d'activité des années précédentes.

La relance de l'entreprise s'amorce, en fait, à l'automne 1949 avec la mise en marché d'un mécanisme de traction que Joseph-Armand Bombardier a perfectionné à partir d'un concept développé par son frère Gérard. Destiné à améliorer les performances des tracteurs en terrains boueux, le TTA (Tractor Tracking Attachment) remporte un succès immédiat dans les milieux agricoles et auprès des fabricants américains de tracteurs. Entre 1949 et 1954, ce dispositif se vendra par milliers partout en Amérique du Nord, ainsi que dans certaines régions d'Europe et d'Amérique du Sud.

Au cours de ces mêmes années, l'inventeur poursuit ses recherches en vue de développer des véhicules chenillés tout terrain pour les industries minière, pétrolière et forestière.

Cette nouvelle orientation se trouve favorisée en 1953 par l'invention d'un barbotin tout caoutchouc incassable et indéformable et par la conception d'une machine à vulcaniser qui permet de produire des chenilles sans fin très résistantes aux chocs.

C'est également en 1953 que, avec l'aide de son père, Germain Bombardier, fils aîné de Joseph-Armand, crée la première filiale de L'Auto-Neige Bombardier, Rockland Accessories Ltd. Installée à Kingsbury, la nouvelle entreprise a pour vocation de fabriquer toutes les pièces de caoutchouc utilisées dans les véhicules Bombardier.

Le tracteur Muskeg* (« marais » en amérindien) est l'un des premiers véhicules à bénéficier des innovations de 1952. Sorti des usines de Valcourt en 1953, il connaît un grand succès, car il répond à de multiples besoins de travaux et de transport en terrains difficiles. En versions modifiées, le Muskeg se vend encore aujourd'hui dans tous les coins du monde.

Une autre réussite impressionnante de cette période fertile sera la mise en marché en 1955 du tracteur J5*, le premier véhicule chenillé conçu spécifiquement pour l'exploitation forestière. Équipé d'une pelle à l'avant, ce véhicule donnera plus tard naissance au petit tracteur SW* dont les municipalités se servent encore aujourd'hui pour le déneigement urbain.

Au cours de 1958, 1959 et 1960, Joseph-Armand Bombardier met au point divers modèles de véhicules utilitaires tant pour le travail en forêt que pour l'exploitation pétrolière. Mais déjà s'amorce un virage qui aura une influence majeure sur l'orientation de l'entreprise de Valcourt.

Conçu par Gérard Bombardier en 1949 pour améliorer la traction des tracteurs, le système TTA comprend une roue additionnelle de chaque côté, un dispositif de suspension et une chenille.

Confronté au manque de flexibilité de ses fournisseurs de pièces de caoutchouc ainsi qu'aux prix élevés et à la piètre qualité des stocks fournis, Joseph-Armand Bombardier invente en 1953 une machine à vulcaniser de forme circulaire.

Joseph-Armand Bombardier considère le véhicule Muskeg, lancé en 1953, comme l'une de ses plus grandes réussites.

En 1957, le tracteur Muskeg est utilisé pour le transport du matériel lors d'une expédition menée par Sir Vivian Fuchs en Antarctique.

Le tracteur J5 subit certains de ses essais sur les sites de l'entreprise forestière Quebec North Shore à l'hiver 1954-1955.

La débusqueuse VFB, aussi appelée « bûcheron d'acier »,
utilisée pour la coupe des arbres en 1961.

La naissance d'une nouvelle industrie

La période de 1959 à 1973 s'engage avec un événement qui exercera une influence profonde sur l'avenir de l'entreprise de Valcourt : l'invention de la motoneige Ski-Doo.

À la fin des années 50, L'Auto-Neige Bombardier est redevenue prospère, la progression de ses affaires se trouvant assurée par un élargissement de sa gamme de produits et de ses marchés. En 1958-1959, ses ventes totalisent 3,5 millions de dollars, tandis que ses bénéfices se situent autour de 825 000 dollars.

Tout en veillant à la bonne gestion de l'entreprise, Joseph-Armand Bombardier intensifie en 1957 ses recherches sur la petite autoneige dont il rêvait depuis sa jeunesse. L'utilisation d'une chenille tout caoutchouc renforcée de tiges métalliques non apparentes et la venue sur le marché de moteurs plus légers lui permettront enfin de réaliser son rêve.

Conçue et brevetée par Germain Bombardier, fils aîné de Joseph-Armand, la nouvelle chenille est en avance sur tout ce qui se fait du genre à l'époque, tant par sa légèreté et sa souplesse que par sa puissance de traction.

Après avoir évalué la performance de divers moteurs et dessiné plusieurs formes de châssis et de carrosserie, Joseph-Armand Bombardier opte pour un moteur à quatre temps Kohler et met au point un modèle de véhicule léger qui le satisfait. À l'automne 1958, il se consacre avec son équipe à la construction d'un prototype.

Les essais pratiques de ce prototype se déroulent dans la région de Valcourt durant l'hiver 1958-1959, pour se terminer en avril à Lansdowne House, dans le Grand Nord ontarien, où le père Maurice Ouimet, natif de Valcourt et ami de l'inventeur, dirige une mission catholique auprès des Amérindiens Ojibway. Les résultats s'avèrent concluants : le véhicule répond aux attentes de son concepteur.

La production en série commence à l'automne 1959 et 225 motoneiges Ski-Doo sont vendues l'hiver qui suit, au prix d'environ 900 dollars l'unité. La motoneige Ski-Doo vient de naître et, avec elle, une toute nouvelle industrie. Cette industrie, dont L'Auto-Neige Bombardier deviendra rapidement le chef de file, connaîtra ses heures de gloire à la fin des années 60 et au début des années 70.

Prototypes de véhicules légers, précurseurs de la motoneige Ski-Doo.
Joseph-Armand Bombardier en fait lui-même l'essai durant les hivers 1957 et 1958.

Le modèle de série de 1959-1960 est équipé de skis en bois de 1,5 mètre (5 pieds) de long et d'une suspension à ressorts à boudin. Il est le premier du genre à être doté d'une chenille entièrement faite de caoutchouc. Son embrayage centrifuge ne comporte que six pièces mobiles. Mû par un moteur à quatre temps Kohler, le véhicule peut atteindre une vitesse maximale de 40 kilomètres/heure (25 milles/heure).

Les premiers succès

La nouvelle machine, pour laquelle Joseph-Armand Bombardier obtiendra un brevet canadien en 1960 et un brevet américain en 1962, est unique en son genre. Parce qu'elle apporte une solution pratique, économique et sûre aux problèmes de transport individuel dans les régions isolées par la neige, elle trouve rapidement une clientèle auprès des missionnaires, trappeurs, prospecteurs, arpenteurs, gardes-chasse, agents gouvernementaux et autres personnes appelées à se déplacer dans ces régions.

C'est toutefois l'engouement des sportifs pour la motoneige qui assurera l'immense popularité du produit et, par le fait même, la croissance future de L'Auto-Neige Bombardier.

Déjà dans la publicité du premier modèle commercialisé, la vocation sportive de la motoneige est mise de l'avant : « Les fervents de plein air à la recherche de nouvelles sensations en matière de sports d'hiver les trouveront sûrement avec un Bombardier Ski-Doo (...) »

La demande démarre lentement, mais va en s'accentuant d'année en année, à mesure que s'organisent la promotion et le réseau de vente. Des 225 unités de 1959-1960, la production passe à 250 pour les modèles 1960-1961, puis à 1200 pour 1961-1962, à 2502 pour 1962-1963 et à 8210 pour 1963-1964, ce qui nécessite plusieurs réaménagements et agrandissements successifs des ateliers de Valcourt.

Sur le plan technique, le modèle de 1959-1960 ne subira que peu de transformations les deux saisons suivantes. En 1962-1963, par contre, la motoneige Ski-Doo fait l'objet de certaines modifications. Elle revêt un capot de fibre de verre qui lui confère une ligne plus fluide. Aux moteurs Kohler et JLO est substitué le célèbre moteur autrichien Rotax, choisi par Joseph-Armand Bombardier après une évaluation exhaustive des marques et des modèles disponibles à l'époque.

L'utilisation de la fibre de verre pour les capots des motoneiges Ski-Doo amène Joseph-Armand Bombardier à créer en 1963 une nouvelle société, Roski Ltée, qui se spécialisera dans la fabrication de ces composants à Roxton Falls, près de Valcourt.

Entre 1960 et 1964, la pratique de la motoneige se répand de plus en plus, d'abord au Québec, puis en Ontario et en Nouvelle-Angleterre, poussant quelques pointes dans d'autres régions de l'Amérique du Nord et en Europe. Le sport commence à s'organiser autour des activités de clubs qui recrutent un nombre croissant de motoneigistes.

Joseph-Armand Bombardier, dont l'invention a donné naissance à ce sport, ne verra cependant que les signes avant-coureurs de l'essor phénoménal de la motoneige. Son décès, le 18 février 1964, marque la fin d'une vie riche et bien remplie. La direction de L'Auto-Neige Bombardier passe alors aux mains de la génération suivante.

Le modèle Ski-Doo de 1960-1961 : en cette deuxième saison de vente, les petites machines portant le jaune vif caractéristique de la marque Ski-Doo commencent à se faire remarquer dans le paysage hivernal nord-américain.

Tout en répondant à la demande croissante des sportifs, l'entreprise de Valcourt ne néglige pas pour autant la vocation utilitaire originale du véhicule.

L'une des premières courses de motoneige se tient en 1962 sur la rivière des Prairies, devant le Commodore Yatch Club, près de Montréal.

Inventeur fertile, Joseph-Armand Bombardier a obtenu plus de 40 brevets en moins de 25 ans. Entrepreneur avisé, il a jeté les bases d'une société qui allait devenir l'un des plus grands ensembles industriels du Canada.

Un legs porteur d'avenir

À sa mort, à l'âge de 56 ans, Joseph-Armand Bombardier laisse derrière lui une entreprise en bonne santé financière.

De 3,5 millions de dollars en 1958-1959, les ventes de L'Auto-Neige Bombardier sont passées à 10 millions en 1963-1964, et les bénéfices de 825 000 dollars à 2 millions. La fabrication et la vente de véhicules industriels, principalement les tracteurs Muskeg et J5, représentent une solide base de revenus, tandis que la motoneige Ski-Doo apporte la promesse d'une augmentation des affaires.

La succession a été préparée avec soin et prudence. Les Entreprises de J. Armand Bombardier Ltée, société familiale fondée en 1954 et ayant pour actionnaires les cinq enfants du fondateur, détient le plein contrôle de L'Auto-Neige Bombardier depuis que les intérêts des actionnaires minoritaires ont été rachetés à l'été 1963. Le fondateur a, par ailleurs, laissé des instructions précises quant à la structure de gestion qui lui paraissait la plus appropriée.

En 1964, le fils aîné de Joseph-Armand Bombardier, Germain, qui assume la fonction de vice-président de L'Auto-Neige Bombardier depuis 1956, est nommé président. Il occupera ce poste pendant deux ans, se retirant ensuite pour des raisons de santé.

Laurent Beaudoin, gendre de Joseph-Armand Bombardier, qui s'est joint à la Société en 1963 à titre de contrôleur et qui est devenu directeur général au décès de son beau-père, prend la relève à la présidence en 1966. Il est épaulé par un conseil d'administration dont il fait partie et qui comprend trois autres membres de la famille, soit J.R. André Bombardier, Gaston Bissonnette et Jean-Louis Fontaine, et deux conseillers spécialisés respectivement en questions financières et juridiques, Jean Paul Gagnon, de la firme de comptables agréés Bélanger, Dallaire, Gagnon & Associés, de Québec, et Me Charles Leblanc, de la firme d'avocats Leblanc Delorme et Associés, de Sherbrooke.

Le nouveau président de la Société est également entouré d'une équipe de direction dynamique, qui l'appuie avec compétence dans la gestion de la croissance rapide de la fin des années 60. Sous son leadership, L'Auto-Neige Bombardier saura tirer parti de la forte demande que connaît alors la motoneige, et ce en dépit d'une prolifération de fabricants désireux d'accaparer leur part d'un marché en plein essor.

L'Auto-Neige Bombardier change de nom le 24 février 1967. Elle fera désormais affaires sous la nouvelle raison sociale de Bombardier Limitée.

Germain Bombardier, qui a travaillé pendant une quinzaine d'années auprès de son père, devient président de L'Auto-Neige Bombardier en 1964. Doué pour la mécanique, il a déjà quelques brevets à son crédit et dirige la filiale Rockland Accessories depuis 1953.

Laurent Beaudoin n'a que 27 ans lorsqu'il assume la présidence et la direction générale de L'Auto-Neige Bombardier en 1966.

Les belles années de la motoneige

À partir du milieu des années 60, l'industrie de la motoneige progresse à un rythme effréné en Amérique du Nord. Évaluées à 60 000 unités en 1965-1966, ses ventes au détail atteignent un sommet de 495 000 unités en 1971-1972, alors que plus de 100 fabricants se partagent le marché.

Bombardier, dont environ 90 % des activités sont à l'époque reliées à la motoneige, croît au même rythme. C'est ainsi que son chiffre d'affaires et ses bénéfices passent respectivement de 20 millions et 3 millions de dollars en 1965-1966 à 183 millions et 12 millions de dollars en 1971-1972.

Dès qu'elle entre en fonction en 1966, la nouvelle équipe de direction, dont la moyenne d'âge est d'environ 30 ans, se lance avec vigueur à l'assaut du marché nord-américain. Pour ce faire, elle élabore une stratégie de mise en marché dynamique, axée sur la promotion de la motoneige comme sport et comme loisir.

Les modèles, qui étaient jusqu'alors identifiés par des lettres, sont maintenant dotés de noms évocateurs : Alpine*, Chalet*, Olympique*, Nordic*, Skandic*, T'NT*, Élan*, Blizzard*.

Chaque année, des thèmes invitant aux plaisirs du plein air animent des brochures de prestige et sont repris lors de campagnes publicitaires dans les médias de masse. Le seul budget de publicité, qui était de 32 000 dollars en 1963-1964, atteindra les cinq millions en 1969.

Au-delà de la promotion directe, Bombardier tire parti de toutes les occasions qui se présentent d'accroître la notoriété de son produit. C'est ainsi qu'elle appuie financièrement, en 1967 et en 1968, deux expéditions vers le pôle Nord dirigées par Ralph Plaisted et réalisées sur motoneiges Ski-Doo. La réussite de la seconde, le 19 avril 1968, apporte une preuve éclatante de la solidité, de la fiabilité et de l'endurance du matériel.

La Société contribue aussi à la mise sur pied de plusieurs courses régionales et du Championnat mondial de la motoneige qui se tient annuellement à Eagle River, au Wisconsin. En plus de valoriser l'image de la motoneige, ces compétitions fournissent au fabricant de précieuses données techniques pour le développement des modèles et l'amélioration constante de la performance du véhicule.

Bombardier encourage, par ailleurs, une pratique plus rationnelle du sport de la motoneige et collabore, notamment, à l'aménagement de sentiers et à l'élaboration d'une réglementation favorisant la sécurité.

L'organisation bien planifiée du réseau de distribution et de vente vient se greffer à la stratégie commerciale et en facilite l'application. Solidement appuyés, tant sur le plan publicitaire que technique, les concessionnaires de Bombardier pourront aussi bénéficier, à compter de 1973, des services de deux filiales créées pour assurer le financement de leurs stocks : Crédit Bombardier Limitée et Bombardier Credit, Inc. (aujourd'hui Bombardier Capital Inc.), installées respectivement à Valcourt (Québec) et Burlington (Vermont).

En fait, la force du réseau est l'un des principaux facteurs de l'avance que maintient la marque Ski-Doo dans le marché de plus en plus compétitif de la motoneige. Aux installations de Valcourt, cette avance se traduit par une production annuelle qui passe de quelque 23 000 unités en 1965-1966 à environ 115 000 en 1968-1969 et à plus de 210 000 en 1971-1972.

Des modèles Olympique de marque Ski-Doo jouent un rôle important lors de l'expédition Plaisted de 1968. Un neveu de l'inventeur, Jean-Luc Bombardier (ci-dessous à droite) participe à ce périple de 1330 kilomètres (825 milles) vers le pôle Nord.

Lors d'une réunion de distributeurs Ski-Doo, tenue en 1971 à Rovaniemi, en Finlande, le président-directeur général de Bombardier, Laurent Beaudoin, est proclamé Lapon honoraire par le « roi » Allalarouka.

Lancées en 1970, les surfaceuses Skidozer s'avèrent fort utiles dans le programme Opération Sentier mis sur pied en 1971 pour appuyer le développement et l'entretien de pistes de motoneige balisées.*

À mesure que s'organise la pratique de la motoneige, les sentiers balisés se multiplient dans toutes les régions enneigées d'Amérique du Nord.

Une entreprise en plein essor

En 1969, alors que la motoneige est devenue un produit de consommation très recherché et que Bombardier voit son potentiel de croissance se confirmer, la direction décide de rendre la Société publique. Officialisée par lettres patentes le 23 janvier 1969, cette décision entraîne l'offre publique de deux millions d'actions par Les Entreprises de J. Armand Bombardier et l'inscription du titre Bombardier aux Bourses de Montréal et de Toronto.

En plus d'associer les investisseurs aux réalisations et aux progrès de la Société, la création d'un marché pour le titre Bombardier fournira à la direction un mode pratique de financement pour la poursuite de son programme d'intégration verticale.

Ce programme, qui a pour but d'assurer à Bombardier un approvisionnement fiable et de qualité, se trouve déjà bien engagé au moment de l'émission d'actions. La Société détient depuis 1957 la filiale qui lui fournit les chenilles et autres pièces de caoutchouc pour ses véhicules récréatifs et industriels, Les Industries Rockland Ltée(1). Elle a acquis en 1968 un fabricant de composants de plastique, Les Plastiques LaSalle Inc., et a pris au début de 1969 une participation de 50 % dans Ville-Marie Rembourrage Ltée, qui possède une compétence unique dans la fabrication de sièges de caoutchouc-mousse. Également au début de 1969, Roski Ltée(2), qui se spécialise dans la production de pièces en fibre de verre, est devenue filiale à part entière de Bombardier Limitée.

Par la suite, Bombardier ajoute à ses filiales Jarry Précision Ltée, qui usine des outils et des pièces métalliques de haute précision, et une entreprise de chromage, Placage Automatique Drummond Inc. La Société prend aussi le plein contrôle de Ville-Marie Rembourrage Ltée.

En 1970, Bombardier conclut la plus importante de cette série de transactions en se portant acquéreur de la société autrichienne Lohnerwerke GmbH et de sa filiale Rotax-Werk AG, qui sont subséquemment fusionnées sous la raison sociale de Bombardier-Rotax GmbH.

Fondée en 1823, la Lohnerwerke se consacre surtout à la fabrication de tramways à son usine de Vienne, et sa longue expérience sera d'un précieux concours lorsque Bombardier décidera d'entreprendre une diversification dans le domaine du matériel de transport quelques années plus tard. En 1970, ce sont toutefois les activités de Rotax-Werk qui intéressent le fabricant de Valcourt. En effet, Rotax-Werk, dont les installations sont situées à Gunskirchen, est depuis 1962 fournisseur en exclusivité des moteurs à deux temps Rotax des motoneiges Ski-Doo. Elle apporte donc à Bombardier la maîtrise technologique de cet élément clé du produit et lui permet en même temps de consolider l'organisation de sa structure manufacturière et d'augmenter ses capacités de recherche et de développement.

L'acquisition en 1971 d'un fabricant concurrent, Les Industries Bouchard Inc., qui exploite une usine à La Pocatière (Québec) et dont la marque Moto-Ski* est à l'époque la troisième en importance, a pour but d'accroître la part de Bombardier dans le marché de la motoneige.

Dès l'année suivante, ce marché connaîtra les premiers signes d'un déclin qui transformera radicalement l'industrie.

(1) Fondée par Germain Bombardier en 1953, sous le nom de Rockland Accessories Ltd.

(2) Fondée par Joseph-Armand Bombardier en 1963 et filiale de Les Entreprises de J. Armand Bombardier jusqu'en 1969.

Le conseil d'administration de Bombardier Limitée en 1969 : (à l'avant-plan, au centre) Laurent Beaudoin, président-directeur général; (au second plan, au centre) Jean Paul Gagnon, vice-président, finances; (de gauche à droite) Gaston Bissonnette, vice-président, recherche et expérimentation, Division des produits récréatifs; Charles Leblanc, vice-président administratif et secrétaire; J.R. André Bombardier, vice-président, Division des produits industriels; John N. Cole, administrateur; et Jean-Louis Fontaine, vice-président, production, Division des produits récréatifs.

Ligne de montage de motoneiges à l'usine de Valcourt. Une fois l'intégration verticale complétée en 1972, plus de 85 % des composants des motoneiges de Bombardier seront fabriqués par la Société et ses filiales.

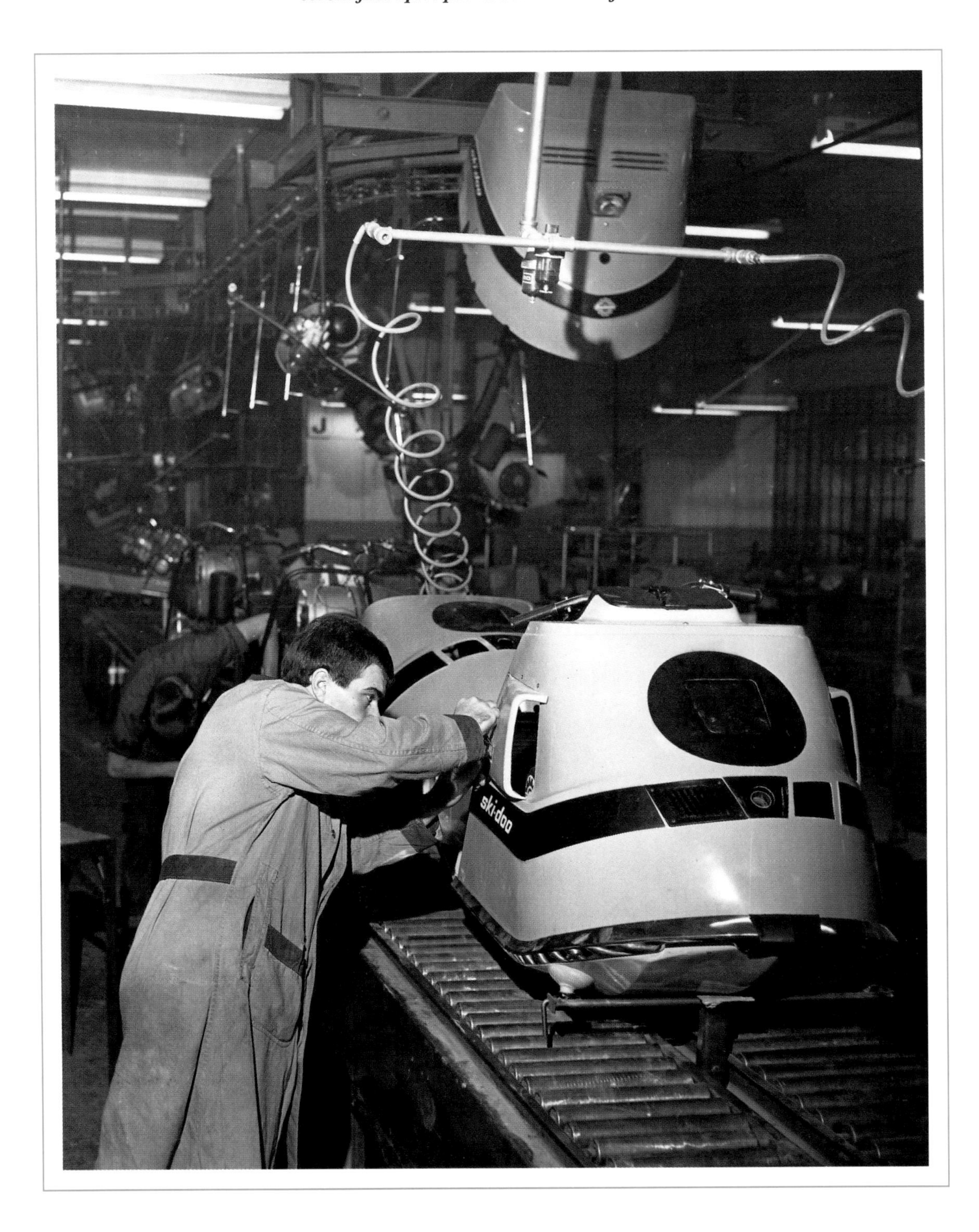

À la suite de l'acquisition de Rotax-Werk, Bombardier procède à l'agrandissement de l'usine de Gunskirchen. Le président-directeur général de Bombardier, Laurent Beaudoin (au centre), examine la maquette de la nouvelle section en compagnie de Helmut Rothe, directeur général de Rotax (à gauche), et de Karl Pötzlberger, directeur général adjoint de Rotax (à droite).

L'intégration horizontale, plus modeste que la verticale, se traduira par l'acquisition de deux entreprises spécialisées respectivement dans la confection et la vente de vêtements et accessoires, Walker Manufacturing Company Ltd. et Ski-Doo Sports Ltée.

L'acquisition de la marque Moto-Ski permet à Bombardier d'élargir son réseau de concessionnaires.

Les premières années de la diversification

La dernière moitié des années 70 sera une période cruciale de l'évolution de Bombardier, car l'entreprise s'engage alors dans la voie de la diversification qui, en moins de 15 ans, lui vaudra d'accéder aux rangs des chefs de file de l'industrie canadienne.

La première crise de l'énergie, à l'automne de 1973, vient donner un dur coup au marché de la motoneige, dont le taux de croissance s'était sensiblement ralenti depuis deux ans en raison d'une saturation de la demande. Durant les saisons suivantes, les ventes au détail nord-américaines sont en chute libre, s'établissant à environ 315 000 unités pour 1974-1975 en comparaison du sommet de 495 000 unités de 1971-1972. L'industrie s'effondre; des 100 fabricants qui la composaient en 1971, seuls six réussissent à se maintenir en affaires.

Bombardier, qui est de ce nombre, décide de demeurer dans le marché, bien déterminée à y maintenir sa position de chef de file et à profiter de la reprise qui surviendra tôt ou tard.

Pour obtenir un meilleur équilibre dans les activités de l'entreprise, la direction oriente une partie de ses efforts vers la recherche de nouveaux produits et de nouveaux marchés. Un des plus importants projets entrepris en ce sens sera le lancement, en 1972, de la motocyclette hors-route Can-Am*. Comme la motoneige, ce produit est équipé d'un moteur Rotax; plusieurs de ses pièces sont fournies par les filiales, tandis que sa distribution se fait par l'entremise du réseau existant.

Les filiales sont, à leur tour, encouragées à élargir leurs activités. L'une d'entre elles, Roski Ltée, se voit confier la fabrication du voilier en fibre de verre Invitation, que Bombardier met en marché au printemps de 1974. Elle produit aussi les sièges du stade et du vélodrome alors en construction pour les Jeux olympiques d'été qui doivent se tenir à Montréal en 1976.

Par ailleurs, Bombardier acquiert en février 1973 une participation de 60 % dans la société Héroux Limitée, dont les ateliers de Longueuil et de Saint-Jean, aux environs de Montréal, sont dédiés à la fabrication et à l'entretien de trains d'atterrissage pour avions civils et militaires.

Ces diverses mesures ne suffisent pas, toutefois, à assurer l'équilibre recherché, ce qui amène Bombardier à s'engager dans une stratégie de diversification fondée sur deux critères : l'utilisation des compétences existantes en matière de gestion manufacturière et l'identification de domaines de fabrication contre-cycliques et compatibles avec les installations en place.

Une occasion qui se présente en 1974 dans le domaine des transports publics ferroviaires, et qui répond à ces critères, lui permettra de jeter les bases de sa croissance à moyen terme.

En compagnie de Laurent Beaudoin, président-directeur général de Bombardier, Mme Yvonne Bombardier, veuve du fondateur de L'Auto-Neige Bombardier, à la célébration qui marque la production de la millionième motoneige Ski-Doo en 1973.

En compétition de type motocross, les motocyclettes Can-Am de Bombardier remportent en 1974 les trois premières places au championnat américain, classe 250 cc, et une médaille d'or aux championnats internationaux tenus en Italie.

En 1974, Bombardier ajoute le voilier Invitation à sa gamme de produits récréatifs. Le premier modèle sera suivi de deux autres, nommés respectivement Bombardier 3.8 et Bombardier 4.8.

Le métro de Montréal

Alors qu'elle provoque le déclin du marché de la motoneige, la crise du pétrole de 1973 entraîne un regain dans celui des transports en commun.

Lorsque la Ville de Montréal annonce au début de 1974 un projet d'agrandissement de son réseau de métro, Bombardier décide de s'engager dans la fabrication du matériel roulant. Elle voit, en effet, dans ce projet la possibilité d'aborder un secteur dont le potentiel s'annonce prometteur et qui répond aux critères de la stratégie de diversification. Elle y voit aussi le moyen de conserver la main-d'oeuvre qualifiée dont elle dispose et de donner une nouvelle vocation à son usine de motoneiges Moto-Ski à La Pocatière (Québec).

Lors de la construction du métro de Montréal en 1963, le matériel roulant avait été fourni par la société Vickers, sous licence du fabricant français CIMT-Lorraine (plus tard absorbé par le groupe Alsthom). La licence accordée à Vickers étant expirée, Bombardier s'en porte acquéreur en vue de présenter une soumission à Montréal, avec l'assistance technique de la CIMT.

Une équipe est alors formée pour préparer cette soumission. Elle est placée sous la direction de Jean-Louis Fontaine, alors vice-président de la Société, qui dirigera par la suite le groupe dédié à l'ingénierie du projet.

En mai 1974, la Commission de transport de la Communauté urbaine de Montréal (CTCUM)[1] accorde à Bombardier une commande d'une valeur de 117,8 millions de dollars pour la production de 423 voitures de métro, dont l'exécution s'échelonnera sur quatre ans.

L'exécution de la commande est confiée à Raymond Royer, qui s'est joint à Bombardier en 1974 comme directeur général de la filiale Matériel de transport Bombardier Ltée.

Le gros des travaux de fabrication et de montage se fait à l'usine de La Pocatière, qui a été modifiée, agrandie et réoutillée. Une partie des installations de Valcourt subit également des transformations pour réaliser la production des bogies des voitures.

En deux ans à peine, Bombardier constitue l'équipe responsable du projet, complète le transfert de la technologie, aménage les usines et engage la production, pour livrer les premières voitures en juillet 1976.

La commande, achevée en 1978, aura permis à Bombardier de s'engager fermement dans une nouvelle sphère d'activité. En s'appuyant sur ce premier contrat de base, la Société s'emploiera au cours des années subséquentes à conquérir le marché nord-américain du matériel de transport en commun qui lui offre, à l'époque, les meilleures perspectives de croissance.

Lorsque Bombardier entre dans ce domaine, la motoneige représente encore 90 % de ses activités. Un nouveau groupe corporatif est alors formé pour gérer la diversification et en favoriser la poursuite.

(1) Cette désignation sera plus tard modifiée pour celle de Société de transport de la Communauté urbaine de Montréal (STCUM).

En 1976, le directeur général de la filiale Matériel de transport Bombardier Ltée, Raymond Royer (à gauche), en compagnie de M. Jean-Guy Massé, surintendant adjoint du Bureau de transport de Montréal, devant la première voiture de transport-passagers ferroviaire livrée par la Société. Raymond Royer deviendra vice-président exécutif de la Société en 1984 et président et chef de l'Exploitation en 1986.

Production des voitures du métro de Montréal à l'usine de La Pocatière, la plus moderne du genre en Amérique du Nord.

Le métro sur pneumatiques dont est doté Montréal est également implanté à Paris, Mexico, Caracas et Santiago (Chili). Certaines filiales de Bombardier participent aux travaux reliés à la commande de Montréal.

L'expansion dans le matériel de transport

Poursuivant sa diversification dans le domaine du matériel de transport ferroviaire, la direction décide, dans un premier temps, d'intégrer les activités de Bombardier à celles du constructeur de locomotives et de moteurs diesel MLW-Worthington Limitée (MLW), établi à Montréal depuis 1902.

Le complexe industriel ainsi formé en 1976 est exploité sous la raison sociale de Bombardier-MLW Ltée, qui sera changée pour Bombardier Inc. en 1981.

À cette étape de son évolution, Bombardier a pour priorité d'élargir son éventail de véhicules de transport-passagers ferroviaire. L'intégration avec MLW lui apporte la technologie du train de ligne LRC (léger, rapide, confortable), conçu pour rouler à haute vitesse sur les voies classiques des réseaux ferroviaires nord-américains.

Forte de son expérience avec le métro de Montréal et afin d'éviter les écueils qui ont causé dans les années 60 le retrait de la plupart des grands fabricants américains de matériel roulant, Bombardier choisit de faire l'acquisition de technologies éprouvées, pour ensuite les maîtriser et les adapter aux besoins du marché.

L'application d'une telle stratégie l'amène bientôt à signer deux ententes de licence, l'une en 1979 avec le fabricant belge BN Constructions Ferroviaires et Métalliques S.A. pour des véhicules légers sur rail, et l'autre en 1980 avec Pullman Incorporated, des États-Unis, pour les voitures de train de banlieue Erie-Lackawanna* à rames réversibles.

Sur le plan commercial, plusieurs « premières » seront réalisées entre 1977 et 1981 : première commande américaine de matériel de transport en 1977, pour 36 automotrices de banlieue à deux niveaux destinées à la Chicago South Suburban Mass Transit District; premier achat de trains LRC par VIA Rail Canada en 1978 (21 locomotives et 50 voitures); et première grande percée aux États-Unis en 1980 avec un contrat de la New Jersey Transit Corporation (NJ Transit) portant sur la fourniture de 117 voitures de train de banlieue Erie-Lackawanna.

La série se poursuit en 1981 lorsque Bombardier remporte une commande de 180 voitures de métro destinées à la ville de Mexico. La même année, la vente de 26 véhicules légers sur rail à la Tri-County Metropolitan Transportation District, de Portland (Oregon), représente le premier succès de Bombardier dans un appel d'offres international.

La diversification dans le secteur du transport en commun ne se fait toutefois pas sans heurt. La promulgation du « Buy America Act » en 1978 vient, en effet, gêner Bombardier dans sa conquête du marché américain en exigeant, notamment, que 50 % des composants incorporés dans les véhicules destinés à ce marché soient fabriqués aux États-Unis et que le montage final des véhicules soit fait en territoire américain. Pour se conformer à cette loi et se rapprocher de son principal marché, la direction décide en 1980 de construire une usine de montage final à Barre, dans le Vermont.

Cette même année marque l'entrée de Bombardier dans un nouveau secteur d'activités.

Les travaux de fabrication des trains LRC de VIA Rail Canada sont partagés entre l'usine de Montréal (Division des produits ferroviaires), qui construit les locomotives, et l'usine de La Pocatière (Division du transport en commun), qui produit les voitures.

Passée en 1981, la commande des voitures du métro de Mexico est, à l'époque, la plus importante commande à l'exportation à avoir été obtenue par un fabricant canadien ou américain de matériel de transport en commun.

Complétée en 1981, l'usine de Barre (Vermont) est d'abord utilisée pour le montage final des voitures du New Jersey et, subséquemment, pour le montage final de tous les véhicules de transport-voyageurs destinés au marché américain.

Un nouveau champ d'activités

Toujours dans la poursuite de son programme de diversification, Bombardier entreprend, au début des années 80, d'étendre ses activités au matériel militaire, ayant appris que le ministère de la Défense nationale s'apprête à inviter des fabricants à présenter une proposition pour la fourniture de camions destinés à renouveler le parc des Forces canadiennes, vieux de plus de 25 ans.

Fidèle à la stratégie qui lui a réussi dans le matériel de transport ferroviaire, la direction entend s'appuyer ici encore sur une technologie éprouvée pour obtenir son premier marché d'importance. En vertu d'une entente conclue en 1977 avec la société américaine AM General Corporation (AMG), Bombardier détient, en effet, les droits canadiens de fabrication et de commercialisation d'un camion militaire de deux tonnes et demie, ainsi que les droits de vente de ce camion pour certains autres pays.

L'occasion propice se présente à la fin de 1979 lorsque le ministère lance son appel d'offres. La proposition de la Société, fondée sur le camion AMG, est déposée en mai 1980 par la Division du matériel logistique nouvellement créée. Le gouvernement passe une commande de 2767 unités à Bombardier en mars 1981.

Treize mois plus tard, le premier camion sort de l'usine moderne qui a été aménagée dans les installations de Valcourt pour la production des véhicules militaires. Les livraisons seront complétées en 1983, en avance sur les délais prévus.

Peu après l'obtention de cette première commande, la perspective d'un autre marché auprès de la Défense nationale incite Bombardier à élargir sa gamme de véhicules logistiques. À cette fin, elle signe en mars 1982 une entente avec la société allemande Volkswagen AG, qui lui cède et lui transfère ainsi la technologie de conception et de fabrication du camion militaire léger connu sous le nom de Iltis*.

Bombardier se verra accorder un contrat pour la fourniture de 1900 Iltis aux Forces canadiennes à l'automne 1983. Ce contrat, qui vient affermir sa position comme fabricant de matériel logistique, constitue un bon point d'appui pour le développement des marchés d'exportation.

Une importante percée se concrétisera en Europe en janvier 1985, avec la conclusion d'une entente portant sur la fourniture de 2500 camions Iltis à l'armée belge.

Avant de s'engager dans la fabrication et la fourniture de camions militaires, Bombardier s'était assurée de recevoir des autorités gouvernementales canadiennes une reconnaissance officieuse de centre d'excellence pour ce type de matériel. En effet, afin de se développer pleinement dans un tel créneau spécialisé, elle devait pouvoir compter sur un marché de base national. À la suite de changements dans l'orientation des politiques gouvernementales, la Société n'aura d'autre choix que de se retirer du marché des véhicules logistiques en 1989. Elle continuera, toutefois, de pourvoir à la fourniture de pièces de rechange pour les véhicules qu'elle a livrés.

Baptisé le « cheval de bataille de l'armée », le véhicule d'AMG modifié par Bombardier devient le premier camion militaire de deux tonnes et demie de fabrication canadienne.

Au total, Bombardier fournira 2500 véhicules Iltis aux Forces canadiennes, 2500 à l'armée belge et 600 à l'armée allemande.

L'explosion des activités et des marchés

La période de 1982 à 1988 est sans aucun doute la plus impressionnante de l'histoire de Bombardier sur le plan de l'expansion.

En 1982, le chiffre d'affaires franchit le cap du demi-milliard de dollars. La même année, Bombardier définit et fixe sa mission d'entreprise : « La Compagnie doit tendre à s'affirmer comme le chef de file au Canada et à occuper une place de premier rang dans le monde dans l'industrie du matériel de transport et des produits connexes. » Plusieurs décisions, gestes et succès témoigneront par la suite des efforts déployés pour l'accomplissement de cette mission.

Bombardier continue avec vigueur sa pénétration du marché nord-américain du matériel de transport et s'y taille une place de chef de file, notamment avec l'obtention d'un important contrat de fabrication de voitures pour le métro de New York en 1982. La Société jette aussi les bases de son expansion industrielle en Europe dans ce secteur, en acquérant 45 % du capital social du fabricant belge BN Constructions Ferroviaires et Métalliques S.A. en 1986.

Pour fins de rationalisation de ses activités dans le domaine des véhicules récréatifs, Bombardier vend ses filiales manufacturières, au début de 1983, à la société Camoplast Inc., formée par un groupe d'employés cadres. Par ailleurs, avec l'acquisition de la société américaine Alco Power Inc., de Auburn (New York), en 1984, elle devient propriétaire de la technologie du moteur diesel Alco dont sont équipées ses locomotives.

La filiale Héroux Inc., dont les activités ne cadrent pas à ce moment-là avec l'orientation générale et les objectifs de développement à long terme de la Société, est vendue l'année suivante à deux de ses dirigeants.

Assurée d'une croissance raisonnable par la poursuite de ses activités existantes, Bombardier n'en demeure pas moins à l'affût de nouvelles occasions de diversification. C'est ainsi qu'elle entre en 1986 dans le domaine de l'aéronautique avec l'acquisition de la société Canadair. Son chiffre d'affaires passe, du coup, à plus de un milliard de dollars.

En seulement quatre ans, Bombardier aura doublé sa taille pour se classer parmi les 20 plus grandes entreprises manufacturières du Canada.

La motoneige Ski-Doo, qui célèbre son 25e anniversaire en 1983-1984, a connu des progrès techniques impressionnants depuis son lancement.

Les véhicules légers sur rail, qui sont en fait des tramways articulés, sont livrés à Portland (Oregon) en 1984 et 1985. Ils sont fabriqués selon une technologie de BN dont Bombardier détient les droits par entente de licence.

À la suite de l'entrée de Bombardier dans l'aéronautique, la gestion de l'exploitation est répartie en deux grands groupes en 1987 : le Groupe matériel de transport et le Groupe aéronautique, présidés respectivement par Raymond Royer (au centre) et Donald C. Lowe (à droite). Tous deux se rapportent au président du Conseil et chef de la Direction, Laurent Beaudoin (à gauche).

Le contrat de New York, une percée décisive

Désireuse de renforcer sa position dans l'industrie nord-américaine du transport en commun, Bombardier décide dès 1981 de miser sur un grand marché potentiel qui se dessine à New York. La régie de transport new-yorkaise Metropolitan Transportation Authority (MTA) a, en effet, annoncé son intention d'acquérir au-delà de 1500 voitures de métro sur fer pour le renouvellement de son parc de matériel roulant.

Une première commande de 325 véhicules ayant été passée à la société Kawasaki Heavy Industries Ltd., Bombardier perçoit l'avantage de proposer des voitures compatibles et entame des discussions en vue d'une entente de fabrication sous licence avec ce constructeur japonais.

En décembre 1981, la MTA lance un appel d'offres pour la fourniture de 825 voitures de métro sur fer auquel répondent trois entreprises concurrentes, dont Bombardier.

Au dépôt des propositions, en février 1982, succède une période d'intenses négociations. Toutes les ressources techniques, financières et juridiques de la Division du transport en commun et du siège social sont mises à contribution pour soutenir l'équipe Bombardier qui négocie à New York.

C'est le 10 juin 1982 que se conclut l'entente entre la MTA et Bombardier, premier jalon de la réalisation d'une commande souvent qualifiée de « plus importante commande du siècle dans l'industrie du matériel de transport en commun » et de « plus important contrat à avoir été accordé à un manufacturier canadien pour un marché d'exportation ». La transaction représentera à sa conclusion en 1987 plus de un milliard de dollars canadiens.

Une première voiture, sortie d'usine à l'été 1984, est soumise à des essais de fonctionnement exhaustifs aux installations de La Pocatière, où une piste d'essai a été construite à cette fin. Plus tard dans l'année, la Division du transport en commun livre la première rame de 10 véhicules à la MTA, pour la mise à l'essai qui requiert 30 jours de service ininterrompu sans défaillance. Après une période intensive de rodage, cette étape est franchie avec succès en avril 1985 et la commande entre alors dans la phase active de fabrication.

Au plus fort de la production, la cadence atteint deux voitures par jour et les effectifs affectés aux travaux dépassent 2000 personnes. En septembre 1987 s'achève, un mois en avance sur l'échéancier contractuel, l'exécution de la commande du métro de New York, qui consacre Bombardier comme grand fabricant nord-américain de matériel de transport-passagers sur rail.

En 1987, les usines de La Pocatière et de Barre connaissent un niveau d'activité exceptionnel. En même temps qu'elles produisent les 294 voitures qui restent à livrer à New York, elles fabriquent 136 voitures de train de banlieue pour diverses régies américaines, dont la Metro-North Commuter Railroad qui dessert les banlieues du nord de New York.

C'est aussi en 1987 que Bombardier entreprend son premier projet intégré dans le domaine du matériel de transport, comprenant la fourniture de sept locomotives de la General Motors et de 35 voitures de train de banlieue à la Southeastern Pennsylvania Transportation Authority, la construction et l'exploitation d'un centre d'entretien dans la région de Philadelphie, ainsi que la mise en place d'un programme de financement novateur.

Le 15 novembre 1982, signature finale du contrat des voitures de métro de New York : (de gauche à droite) Raymond Royer, président et chef de l'Exploitation de Bombardier; Laurent Beaudoin, président du Conseil et chef de la Direction de Bombardier; M. Richard Ravitch, alors président de la Metropolitan Transportation Authority de New York; M. Gerald A. Regan, alors ministre d'État au Commerce international du Canada; et M. Edward Lumley, alors ministre de l'Industrie et de l'Expansion économique régionale du Canada.

Les 825 voitures livrées par Bombardier à New York donnent depuis leur mise en service officielle la meilleure moyenne de rendement de toutes les voitures du parc de la MTA.

La voiture de train de banlieue Erie-Lackawanna, de conception Pullman, sera l'un des véhicules de transport les plus recherchés de la gamme offerte par Bombardier. Entre 1981 et 1992, les usines de La Pocatière et de Barre en produiront plus de 745.

Voiture de train de banlieue en réparation au centre d'entretien construit par Bombardier dans la région de Philadelphie.

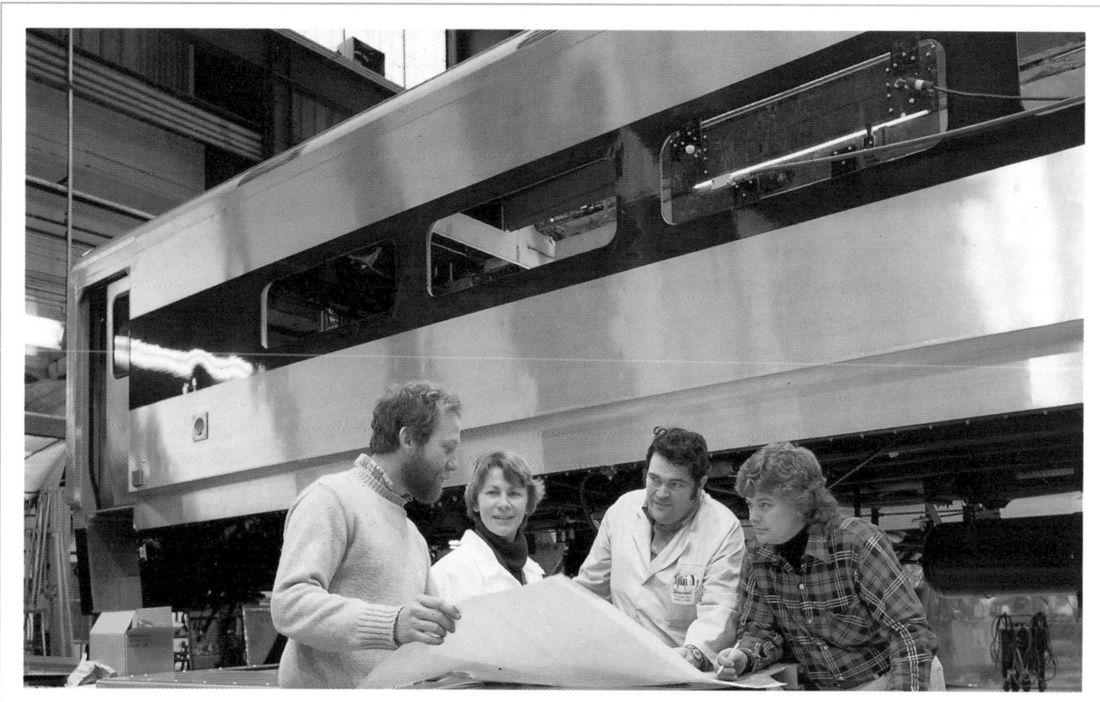

Chef de file nord-américain, maître de sa technologie

Au moment où s'engage la fabrication du matériel destiné à New York, Bombardier est en mesure d'offrir au marché nord-américain des voitures de métro sur pneus et sur roues de fer, des véhicules légers sur rail (aussi appelés métros légers ou tramways), des automotrices de banlieue, des voitures de train de banlieue et le train de ligne LRC. Cette gamme de véhicules, la plus étendue qui soit en Amérique du Nord, répond, en fait, aux besoins du transport-passagers urbain, suburbain et interurbain.

En prévision de l'évolution des tendances qui se dessinent dans le marché aux États-Unis, Bombardier acquiert, en 1984, d'autres technologies qui lui ouvrent de nouveaux débouchés pour les systèmes clés en main et le transport-voyageurs transcontinental.

Dans un premier temps, elle obtient de la société Walt Disney les droits exclusifs de commercialisation, de fabrication et d'exploitation des systèmes WEDway PeopleMover (navettes automatisées) et Monorail, développés à l'origine par l'organisation Disney. En vue d'exploiter le potentiel identifié pour ces systèmes de transport intégrés, Bombardier crée en 1985 une filiale américaine, The Transportation Group Inc. (TGI), lui confiant le mandat de les commercialiser aux États-Unis. Au début de 1987, à la suite d'un appel d'offres international, cette filiale remporte une commande de 72 voitures de train monorail destinées au parc d'attraction Walt Disney World, en Floride.

Dans un deuxième temps, Bombardier signe avec Pullman une entente de licence portant sur des voitures de train à simple niveau, appelées Horizon, pour lesquelles elle recevra une première commande en 1988, passée par Amtrak, la société responsable du transport-voyageurs ferroviaire aux États-Unis.

En décembre 1986, allant au-delà des simples accords de licence, la direction décide d'acquérir la société qui détient les technologies de design reliées à tout le matériel roulant fabriqué par Pullman-Peabody depuis ses origines, Pullman Technology Inc., de Chicago. Cette transaction est suivie, neuf mois plus tard, par l'achat des actifs et des designs de la société Transit America Inc., de Philadelphie, qui était précédemment la division du matériel de transport en commun de la société Budd.

Avec ces deux acquisitions, Bombardier renforce sensiblement ses ressources d'ingénierie et sa capacité d'intervention en Amérique du Nord.

Sous cet angle particulier de la maîtrise des technologies, la période 1982-1988 se termine sur une entente tournée vers l'avenir. Ayant décelé un important potentiel pour les trains à très grande vitesse en Amérique du Nord, Bombardier signe, en décembre 1987, un accord de coopération commerciale et industrielle avec la société française Alsthom (aujourd'hui le groupe franco-britannique GEC Alsthom) pour la promotion et la réalisation des projets TGV (Train à Grande Vitesse) au Canada et aux États-Unis.

Voitures de monorail Mark VI fournies par Bombardier à Walt Disney World, en Floride.

Voitures Horizon : Bombardier en a livré 104 à Amtrak à la suite d'une commande obtenue en 1988.

Véhicules légers sur rail livrés par BN
à la régie de transport d'Amsterdam (Pays-Bas).

L'entrée dans l'aéronautique

Douze ans après s'être diversifiée dans le domaine du matériel de transport, Bombardier franchit une étape tout aussi marquante dans son évolution. Elle s'engage officiellement dans le domaine de l'aéronautique lorsque le gouvernement canadien, qui avait décidé quelques années auparavant de privatiser Canadair, accepte son offre d'achat le 23 décembre 1986.

Constituée en 1944 par le gouvernement canadien, Canadair Limitée a été pendant plus de 25 ans une filiale de la société américaine General Dynamics Corporation. Rachetée en 1976 par le gouvernement canadien, elle avait, au moment de sa privatisation, construit 4000 aéronefs civils et militaires, dont quelque 580 avions supersoniques.

L'acquisition de Canadair s'inscrit parfaitement dans la dynamique de croissance de Bombardier. Elle satisfait aux deux critères qui avaient régi la stratégie de développement dans le domaine du matériel de transport.

Canadair apporte, en effet, à Bombardier d'importantes ressources humaines et technologiques appliquées à des produits dont elle a la maîtrise, soit le biréacteur d'affaires Challenger*, l'avion amphibie CL-215* et les systèmes de reconnaissance aérienne sans pilote CL-289* et CL-227*. Qui plus est, Canadair occupe une position de premier plan dans les créneaux de marché où elle se situe. Ses activités de fabrication de composants constituent un atout supplémentaire du fait qu'elles assurent des relations suivies avec les grands avionneurs américains, tels que Boeing et McDonnell Douglas. Enfin, Canadair jouit d'une longue expérience dans le soutien technique de divers avions militaires de sa fabrication.

Plusieurs succès et programmes viennent confirmer la justesse de la décision d'acquérir Canadair. Ainsi, peu après l'entente finale, Bombardier signe un important contrat pour le soutien technique intégré des chasseurs CF-18 des Forces canadiennes. Le mois suivant, elle entreprend la mise au point d'une version à turbopropulsion de l'avion amphibie CL-215 et reçoit de l'Allemagne et de la France une première commande de production pour le système de reconnaissance aérienne CL-289.

Dès 1988, l'avion Challenger voit sa part du marché des gros réacteurs d'affaires augmenter de quelque 10 %, et continue de représenter le plus fort volume de ventes dans les activités de la Société reliées à l'aéronautique.

Toujours en 1988, la société française Aerospatiale confie à Canadair la conception, la mise au point et la fabrication de six grands composants de fuselage pour les avions Airbus A330 et A340. Ce premier contrat de fourniture en Europe est suivi d'un second, passé par British Aerospace pour des composants destinés à ces mêmes avions. Les carnets de commandes de composants pour les avionneurs américains Boeing et McDonnell Douglas continuent, pour leur part, d'être bien garnis, avec le renouvellement des commandes existantes.

Enfin, en mars 1989, Bombardier donne le feu vert à un programme qui marque un virage majeur dans son histoire : le programme du Regional Jet* portant sur la mise au point d'un avion de ligne à réaction de 50 places conçu pour le transport régional. L'appareil reçoit l'homologation de type canadienne le 31 juillet 1992.

*Signature de la déclaration d'intention pour l'acquisition de Canadair, le 18 août 1986 :
(à l'arrière plan) M. Robert de Cotret, alors président du Conseil du Trésor;
et M. Marcel Masse, alors ministre de l'Énergie, des Mines et des Ressources;
(au premier plan) Laurent Beaudoin, président du Conseil et chef de la Direction de
Bombardier; et Mme Barbara McDougall, alors ministre d'État à la Privatisation.*

Le biréacteur d'affaires Challenger : la troisième génération de l'appareil, le 601-3A, a été homologuée au Canada et aux États-Unis en avril 1987.

L'avion amphibie CL-215, seul appareil au monde conçu expressément pour la lutte aérienne contre les incendies. Canadair en a livré 124 dans huit pays durant le programme qui s'est terminé en 1990.

***Le système de reconnaissance aérienne sans pilote CL-289 :
son engin lancé par fusée peut capter et transmettre instantanément
au sol des images et des données par liaison informatisée.***

Travaux d'entretien sur les chasseurs CF-18 des Forces canadiennes dans de nouvelles installations construites à proximité de l'aéroport international de Montréal (Mirabel).

Travaux de fabrication de composants d'avions aux installations principales de Canadair à Ville Saint-Laurent, en banlieue de Montréal : (en haut) calotte étanche du fuselage arrière de l'avion de ligne Boeing 767; (en bas) poutre de quille destinée aux avions de ligne Airbus A330/A340 de la société française Aerospatiale.

Le Regional Jet de Canadair, d'une capacité de 50 passagers, seul biréacteur de ligne de sa catégorie à être offert sur le marché.

Les Jeux olympiques

Pendant que se poursuit la diversification de Bombardier, les véhicules chenillés et les motoneiges de la Société trouvent aussi une occasion de se distinguer en participant à deux reprises aux Jeux olympiques d'hiver.

Tant à Sarajevo (Yougoslavie) en 1984, qu'à Calgary (Alberta) en 1988, Bombardier est désignée fournisseur officiel exclusif des équipements chenillés requis pour les besoins logistiques des Jeux.

À Sarajevo, c'est la filiale autrichienne Bombardier-Wien Schienenfahrzeuge AG(1) qui mène le projet. Elle fournit 13 de ses véhicules BR-1000*, énormes chenillés conçus pour le damage des pentes de descente alpine, de slalom et de slalom géant. Des véhicules de plus petite taille, fabriqués par la Division des équipements industriels à Valcourt, sont affectés à l'entretien des parcours de ski de fond. Tous les services de transport sur neige, que ce soit pour les déplacements des juges, des officiels et des équipes de sauvetage, l'inspection des parcours ou les urgences, sont assurés par des motoneiges utilitaires Alpine de Ski-Doo.

Quatre ans plus tard, Bombardier met un total de 87 véhicules à la disposition du Comité organisateur des Jeux de Calgary. La flotte comprend des BR-400* qui servent au damage des pentes de ski, des BR-200* et des SV-252* utilisés principalement pour l'entretien des pistes de ski nordique, ainsi que des motoneiges Safari* 503 et Alpine II qui véhiculent personnes et matériel sur les sites.

Dans les deux cas, des équipes de spécialistes de Bombardier sont sur place pour conduire et entretenir les véhicules. Dans le cas de Calgary, toutefois, la contribution de la Société commence bien avant l'ouverture officielle des Jeux.

C'est, en effet, un biréacteur d'affaires Challenger qui transporte la flamme olympique de la Grèce au Canada, en novembre 1987. Ce périple historique de 10 000 kilomètres commence le 11 novembre lorsque le Challenger décolle de Calgary emmenant à son bord les principaux dirigeants du Comité organisateur.

Venue d'Olympie par relais, la flamme est remise à la délégation canadienne lors d'une cérémonie officielle qui se déroule à Athènes. Elle est ensuite transportée à bord du Challenger d'Athènes à Saint-Jean (Terre-Neuve), où elle arrive le 18 novembre pour entreprendre le relais qui lui fera traverser le Canada jusqu'à Calgary.

Dans le cadre du Relais du flambeau olympique, Bombardier fournit, quelques mois plus tard, trois motoneiges Safari 503 de marque Ski-Doo. Du 7 au 18 janvier 1988, les porteurs du flambeau se relaient sur ces véhicules, parcourant ainsi près de 3000 kilomètres à travers les terrains enneigés de l'Ontario, du Manitoba et de la Saskatchewan.

Le père missionnaire Maurice Ouimet, qui avait reçu des mains de Joseph-Armand Bombardier la toute première motoneige Ski-Doo et qui a consacré sa vie sacerdotale aux Amérindiens du Grand Nord, porte le flambeau pour le premier kilomètre du parcours. Il a été choisi pour cet honneur afin de souligner son rôle de pionnier de la motoneige.

(1) Précédemment Lohnerwerke GmbH.

Le véhicule de damage BR-1000, aux Jeux de Sarajevo en 1984.

Avant et pendant les Jeux d'hiver de Calgary, en 1988,
les BR-400 font la preuve de leur endurance et de leur rendement.

L'équipe voyageant à bord d'un avion Challenger pour amener la flamme olympique de la Grèce au Canada : (de haut en bas) M. Bill Pratt, président de O.C.O. (Olympiques Calgary Olympics); M. Ed Lakusta, président et chef de l'Exploitation de Petro Canada Inc.; Dr. Roger Jackson, président de l'Association olympique canadienne et doyen de la Faculté d'éducation physique de l'Université de Calgary; M. William J. Warren, président du Conseil de la Calgary Olympic Development Association; J.R. André Bombardier, vice-président du Conseil de Bombardier; mascottes (de gauche à droite) M. Lane Kanenburg, président du comité des mascottes de O.C.O.; et M. Larry Fisher (Hidy), photographe officiel de O.C.O.

Le père Maurice Ouimet, oblat de Marie-Immaculée, participant au Relais du flambeau olympique en janvier 1988. La motoneige qu'il a utilisée se trouve maintenant au Musée J. Armand Bombardier à Valcourt.

La motomarine Sea-Doo

La période de 1982-1988 s'achève avec le lancement de la motomarine Sea-Doo, qui assurera une présence accrue de Bombardier dans le secteur des biens de consommation récréatifs.

La décision de mettre au point, de fabriquer et de commercialiser la motomarine Sea-Doo arrive au terme d'une exploration poussée des débouchés que peut offrir le marché des produits marins récréatifs. Elle découle d'une stratégie qui vise à obtenir un meilleur équilibre entre les activités tributaires des marchés institutionnels et celles qui sont reliées aux biens de consommation.

Déjà en 1968, Bombardier avait développé un concept avant-gardiste de motomarine et en avait même entrepris la commercialisation et la fabrication sous le nom de Sea-Doo. C'est ce concept qui est repris près de 20 ans plus tard, revu et amélioré pour répondre aux attentes d'un marché dont le potentiel se montre prometteur.

Dès sa sortie commerciale en 1988, la motomarine Sea-Doo reçoit un accueil favorable. Deux prestigieuses publications américaines destinées aux consommateurs en font d'ailleurs l'éloge. *Popular Science* l'inscrit parmi les 100 plus remarquables produits et innovations techniques de 1988 et la déclare gagnante dans sa catégorie. Pour sa part, *Popular Mechanics* la classe première de tous les modèles de motomarines existant sur le marché.

Au cours des années qui suivent, le nouveau-né des produits de Bombardier continue d'affirmer sa supériorité et de gagner des parts de marché non seulement en Amérique du Nord, mais aussi en Europe, en Asie et en Amérique latine.

Dotée d'un produit performant, sûr et fiable, Bombardier entend se tailler une place de choix dans ce marché relativement jeune.

*Premier véhicule du genre à être fabriqué et commercialisé,
la motomarine Sea-Doo de 1968 à la marina de Terre des Hommes, à Montréal,
avant le départ d'une expédition de 780 kilomètres (460 milles) vers New York.*

La motomarine Sea-Doo est une petite embarcation individuelle, qui se prête aussi bien à la performance sportive qu'à la randonnée. Premier modèle Sea-Doo de nouvelle génération, lancé en 1988.

Réunion de concessionnaires Sea-Doo tenue au Club Méditerranée Sandpiper en Floride, en 1991. Le réseau de concessionnaires Sea-Doo couvre aujourd'hui l'ensemble de l'Amérique du Nord et s'étend à quelque 50 pays.

Le rayonnement international et l'expansion au Canada

En 1988, les objectifs de positionnement que Bombardier s'est fixés dans la définition de sa mission sont en bonne voie d'être atteints. Leader incontesté de l'industrie nord-américaine du matériel de transport-voyageurs ferroviaire et premier avionneur du Canada, la Société est toujours le chef de file mondial de la motoneige et aspire à se tailler une place de choix dans le marché de la motomarine.

En regard de tels succès, les activités reliées à la production de locomotives et de moteurs diesel ne cadrent plus avec les orientations stratégiques de Bombardier. La direction décide donc d'y mettre fin. Elle vend les actifs et l'exploitation de la Division des produits ferroviaires et diesel à la Compagnie Générale Électrique du Canada (GE Canada) en 1989.

Parallèlement à ces mesures de consolidation, la Société mènera entre 1988 et 1992 un ambitieux programme d'expansion internationale, visant à lui assurer une présence industrielle dans des marchés en croissance.

Amorcé en 1988 avec l'affiliation de la société belge BN, le mouvement se poursuit dans le secteur du matériel de transport par l'acquisition de la société française ANF-Industrie en 1989, de la société britannique Procor Engineering Limited en 1990 et de la société mexicaine Constructora Nacional de Carros de Ferrocarril S.A. en 1992. Il s'étend à l'aéronautique avec l'achat de Short Brothers PLC en Irlande du Nord en 1989, puis de la Learjet Corporation aux États-Unis en 1990. Dans le cas de la motoneige, il se traduit par une association de Bombardier et de son distributeur finlandais, Starckjohann-Telko, pour l'acquisition d'installations de production en Finlande et en Suède(1), en 1988.

En plus de prendre ainsi un important rayonnement international, Bombardier élargit sa base industrielle canadienne durant cette période, en se portant acquéreur, au début de 1992, de deux sociétés établies en Ontario : le fabricant de matériel de transport ferroviaire UTDC et l'avionneur de Havilland.

Le programme d'expansion aura pour effet de doubler, en quatre ans seulement, la taille de l'entreprise.

(1) L'usine suédoise est fermée en 1990.

En France... et en Angleterre

Environ 20 mois après être devenue l'actionnaire majoritaire de BN en Belgique, Bombardier franchit une nouvelle étape majeure de sa stratégie de développement européenne, officialisant en décembre 1989 l'achat de la société ANF-Industrie, constructeur français de matériel roulant ferroviaire.

L'histoire d'ANF-Industrie débute en 1882 lorsqu'un groupe d'industriels français et belges fonde Les Ateliers de construction du Nord de la France (A.N.F.) pour fabriquer des véhicules de transport destinés aux compagnies de chemin de fer.

En 1970, A.N.F. se transforme en société de portefeuille et transfère son exploitation de matériel ferroviaire à une filiale constituée sous le nom de ANF-Industrie. C'est de cette entité que Bombardier se porte acquéreur, gagnant ainsi un nouveau réservoir de compétences et un site de production placé au coeur de l'Europe de l'Ouest, où le marché potentiel pour le matériel de transport est alors quatre fois supérieur à celui de l'Amérique du Nord.

ANF-Industrie est aujourd'hui équipée pour produire une grande variété de produits ferroviaires, dont des autorails diesel, des automotrices électriques urbaines et de banlieue, des voitures de train de ligne, ainsi que des bogies porteurs ou de traction. Sa filiale Sofanor fabrique des sièges et des éléments d'aménagement intérieur pour matériel roulant.

En plus de servir son marché national, ANF-Industrie a connu au cours des deux dernières décennies une importante activité d'exportation. Ayant participé à la construction des métros de Montréal, Mexico, Santiago (Chili) et Caracas, elle a été de 1982 à 1987 le chef de file du groupe Francorail dans la fourniture de 425 voitures de métro à New York, en même temps qu'elle produisait 236 voitures de train-voyageurs pour l'Irak.

Sa production actuelle porte principalement sur des voitures de trains-navettes du tunnel sous la Manche, sur les voitures de présérie de la nouvelle génération du métro de Paris, sur du matériel TGV, voitures et bogies, pour les divers projets de TGV français et sur des voitures motrices à deux niveaux pour la Société nationale des chemins de fer français.

Désormais bien implantée en Belgique et en France, c'est de l'autre côté de la Manche que Bombardier poursuit son programme d'internationalisation dans ce domaine, en octobre 1990. Elle entre alors dans l'industrie britannique du matériel de transport ferroviaire en achetant, par l'entremise de BN, toutes les actions de la société Procor Engineering Limited, de Wakefield en Angleterre.

Cette entreprise, devenue Bombardier Prorail Limited, est spécialisée dans la production de caisses pour locomotives et pour voitures de transport-passagers ferroviaire destinées au marché du Royaume-Uni.

En mai 1991, les activités européennes de Bombardier reliées au matériel de transport sont consolidées sous la raison sociale Bombardier Eurorail (Société anonyme). Bien connues dans leurs marchés respectifs, les entités ainsi réunies, soit Bombardier-Wien (Vienne), BN, ANF-Industrie et Bombardier Prorail, conservent chacune leur identité, leur personnel et leurs activités d'exploitation.

ANF-Industrie collabore depuis plusieurs années à la réalisation de rames à deux niveaux destinées aux services de banlieue de la Société nationale des chemins de fer français (SNCF).

Turbotrain développé par ANF-Industrie au cours des années 70 et vendu à la SNCF ainsi que sur les marchés d'exportation, notamment aux États-Unis, en Iran et en Égypte.

Les sièges de grand confort pour les voitures du TGV français sont construits par la filiale d'ANF-Industrie, Sofanor.

En Irlande du Nord

À la fin de 1988, l'intégration de Canadair, engagée depuis deux ans, se déroule harmonieusement et donne déjà des résultats positifs. Lorsque le gouvernement britannique annonce sa décision de privatiser l'avionneur Short Brothers PLC (Shorts), d'Irlande du Nord, une bonne occasion s'offre à Bombardier de renforcer sa position dans l'aéronautique tout en prenant pied en Europe dans ce domaine.

En juin 1989, la proposition de Bombardier est retenue. À la conclusion de l'entente, quatre mois plus tard, Shorts devient filiale à part entière de Bombardier.

Fondée en 1901 par les frères Short, à Hove en Angleterre, et nationalisée en 1943, Shorts s'inscrit aux rangs des pionniers de l'industrie aéronautique. Ayant notamment reçu la première commande de production d'avions de l'histoire, passée en 1909 par les frères Wright, l'entreprise connaîtra de nombreux succès au cours des 80 années qui suivront. Elle mettra au point des techniques de conception et de fabrication qui contribueront à l'avancement de l'industrie aéronautique et pourra se réclamer d'une longue série d'avions et d'hydravions destinés à l'aviation civile et militaire.

Shorts, qui s'est installée à Belfast en 1937 et a fermé ses installations anglaises en 1947, est aujourd'hui la plus importante société industrielle privée d'Irlande du Nord.

Fidèle à sa stratégie, Bombardier en a évalué les forces et les faiblesses avant d'en faire l'acquisition, toujours dans l'optique de la maîtrise technologique et de la capacité d'intervention dans des créneaux de marché d'envergure mondiale.

Au moment de l'acquisition, Shorts dispose déjà d'une technologie fort avancée et d'une main-d'oeuvre hautement qualifiée. Son carnet de commandes est bien garni et sa vaste expérience du marché des avions de transport régional peut être mise à profit dans la réalisation du projet du Regional Jet de Canadair.

Dans sa prise de décision, Bombardier prend aussi en compte le climat socio-économique difficile qui prévaut en Irlande du Nord; elle choisit d'endosser pleinement la politique d'embauche de Shorts fondée sur l'égalité des chances.

L'acquisition s'assortit, par ailleurs, d'une restructuration du capital de Shorts et d'un programme d'investissement qui vient à point pour moderniser l'usine, l'outillage et les systèmes de production. En parallèle aux efforts de Shorts axés sur la qualité totale et sur la réorganisation de la gestion, l'acquisition réalisée par Bombardier sert de catalyseur à des changements de grande portée, qui se traduisent bientôt par une augmentation de l'emploi et une amélioration marquée du rendement.

Les activités actuelles de Shorts comprennent la production d'aéronefs civils et militaires, la fourniture de composants à de grands avionneurs européens et américains, la fourniture de systèmes et composants de nacelles à d'importants motoristes européens, ainsi que la conception et la fabrication de systèmes de défense aérienne rapprochée.

Signature de l'entente pour l'acquisition de Short Brothers PLC (Shorts), à Belfast en Irlande du Nord, le 4 octobre 1989 : (à l'arrière plan) Roy W.R. McNulty, aujourd'hui président de Shorts; et David Haggan, alors président du Comité d'usine de Shorts; (au premier plan) M. Peter Brooke, secrétaire d'État pour l'Irlande du Nord; et Laurent Beaudoin, président du Conseil et chef de la Direction de Bombardier.

Le Sherpa C-23, qui sert au transport militaire, est actuellement exploité par l'armée de l'air des États-Unis et la garde nationale de l'armée des États-Unis.*

L'avion d'entraînement à turbopropulsion le plus moderne au monde, le Shorts Tucano, est en service depuis 1989 auprès de l'armée de l'air britannique.*

Shorts est le chef de file européen de la conception et de la fabrication de nacelles de moteurs à réaction et de composants de nacelles. Dans ce domaine, elle est notamment fournisseur de Rolls Royce et de British Aerospace.

À titre de partenaire de la société Fokker dans le programme de l'avion de ligne Fokker 100, Shorts s'est vu confier la conception et la fabrication des ailes de l'appareil.

Shorts est fournisseur unique auprès de Boeing pour certains grands composants des avions de ligne 737, 747 et 757.

Shorts est un chef de file mondial des systèmes de défense aérienne rapprochée, conçus pour la protection contre les attaques d'avions ou d'hélicoptères.

La section centrale du fuselage de l'appareil Regional Jet est fabriquée aux installations de Shorts, puis expédiée à l'usine d'assemblage de Canadair. Shorts produit aussi des composants d'aile pour cet avion.

Aux États-Unis... et au Mexique

Quelques mois à peine après l'intégration de Shorts, une nouvelle transaction permet à Bombardier d'entrer dans l'industrie aéronautique américaine, tout en se dotant de la gamme la plus complète d'avions d'affaires à réaction qui soit offerte sur le marché. Il s'agit de l'achat de l'actif et de l'exploitation de la Learjet Corporation, constructeur des célèbres avions Learjet*.

Réalisée par Learjet Inc., une filiale américaine de Bombardier créée à cette fin, la transaction est officialisée le 29 juin 1990 au siège social de Learjet, à Wichita (Kansas).

Learjet tire son nom de celui de son fondateur, feu William P. Lear, Sr., qui s'établit à Wichita en 1962 pour entreprendre la mise au point d'un avion à réaction de petite taille qu'il a conçu pour les voyages d'affaires. Premier appareil du genre à être produit en série commerciale, le Learjet 23 se taillera rapidement une réputation internationale.

Au moment de l'acquisition, la gamme de produits Learjet comprend trois modèles de petite taille, les appareils Learjet 31, 35A et 36A, ainsi que le modèle de taille moyenne Learjet 55C. Ajoutée au gros biréacteur Challenger de Canadair, cette gamme assure à Bombardier une position privilégiée dans le marché des avions d'affaires.

Tout comme Canadair et Shorts, Learjet réalise des contrats en sous-traitance pour le compte d'autres entreprises du domaine de l'aéronautique. Elle est actuellement fournisseur des forces de l'air américaines et des sociétés Boeing et Martin Marietta Manned Space Systems.

Outre son siège social, Learjet regroupe à Wichita toutes ses activités de fabrication ainsi qu'un centre de service à la clientèle. Elle exploite un autre centre de service et de finition pour le Challenger de Canadair et les avions Learjet à Tucson (Arizona). Des centres affiliés, répartis aux États-Unis et dans divers autres pays, constituent le réseau d'entretien de la vaste flotte d'avions Learjet.

Bombardier donne, dès l'acquisition conclue, un appui financier à deux programmes qui visent à rehausser la capacité concurrentielle de Learjet et qui portent sur la mise au point de nouveaux produits, le Learjet 31A et le Learjet 60.

En juin 1990, le coup d'envoi est donné à la construction d'un centre d'essai en vol sur les terrains de Learjet à Wichita. Ce centre, entré en exploitation à l'été 1991, est utilisé dans le développement de nouveaux appareils de Learjet et de Canadair. Il est un bel exemple des multiples synergies qui découlent de la récente expansion des activités de Bombardier.

Le programme d'expansion internationale que poursuit Bombardier l'amène à se porter acquéreur en mai 1992 de l'actif de la société mexicaine Constructora Nacional de Carros de Ferrocarril S.A., connue sous le nom de Concarril.

Créée en 1954 par le gouvernement mexicain, Concarril maintenant gérée sous l'appellation Bombardier S.A. de C.V. est aujourd'hui le plus important fabricant de matériel roulant ferroviaire du Mexique. Ses installations, situées à Ciudad Sahagun dans la région de Mexico, sont équipées pour produire toute une gamme de véhicules, y compris des voitures de métro sur pneus et sur fer, des véhicules légers sur rail, des voitures de train-passagers et des wagons de marchandises.

Cette acquisition ouvre de nouveau débouchés à Bombardier non seulement au Mexique, mais aussi dans le sud des États-Unis et dans d'autres pays latino-américains.

Une version améliorée du petit Learjet 31, le modèle 31A, a reçu l'homologation américaine en juillet 1991.

Nouveau venu dans l'éventail des avions d'affaires Learjet, le modèle 60 a effectué son vol inaugural en juin 1991.

À titre de sous-traitant pour la division Manned Space Systems de la société américaine Martin Marietta, Learjet produit d'importants composants du réservoir extérieur de la navette spatiale.

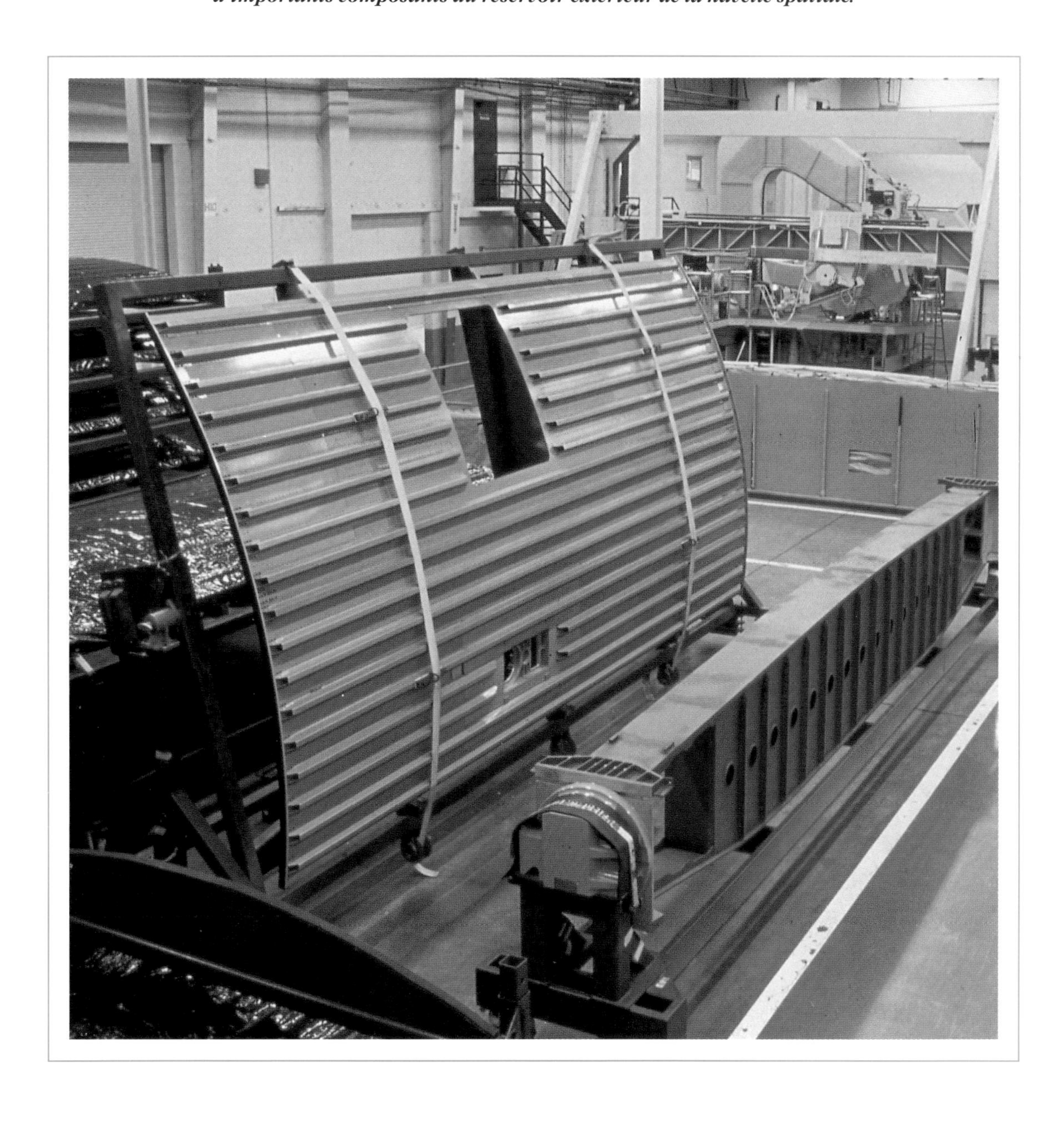

Le premier des trois appareils utilisés pour les essais en vol dans le programme d'homologation du Regional Jet de Canadair, à son arrivée à Wichita le 16 juillet 1991.

Le centre d'entretien de Learjet à Tucson assure l'entretien, la finition et la remise à neuf des appareils Challenger en exploitation dans l'ouest des États-Unis.

Et au Canada

Au début de 1992, Bombardier signe deux ententes d'acquisition qui lui permettent de s'implanter en Ontario sur le plan industriel, dans ses deux principaux domaines d'activité.

En février, elle officialise l'achat de l'actif canadien de la société UTDC Inc. relié au matériel de transport ferroviaire.

L'entreprise qui se joint alors à Bombardier a été créée en 1973 par le gouvernement de l'Ontario pour concevoir, mettre au point, commercialiser et livrer du matériel de transport en commun urbain et pour servir de catalyseur dans le développement de produits de transport à la fine pointe de la technologie.

Afin de remplir son mandat, UTDC établit d'abord une piste d'essai et des installations de recherche et de développement à Kingston (Ontario), auxquelles vient s'ajouter une usine de fabrication en 1982. Deux ans plus tard, elle acquiert l'usine de matériel de transport ferroviaire de Canadian Car, filiale de Hawker Siddeley, à Thunder Bay (Ontario).

Dès 1975, UTDC entreprend des recherches pour la mise au point d'un système de métro léger automatisé, qu'elle fabriquera et commercialisera par la suite. Sa gamme de matériel comprend également des véhicules légers sur rail, des voitures de métro lourd et des voitures de train de banlieue.

Entre 1982 et 1992, UTDC a construit près de 800 véhicules de transport-passagers ferroviaire pour plusieurs régies nord-américaines, dont celles de Boston, Detroit, Los Angeles, New York, Toronto et Vancouver.

C'est en mars 1992 que se conclut l'achat de la division de Havilland de Boeing, par l'entremise d'une nouvelle société, de Havilland Inc., dont le capital social est partagé entre Bombardier (51 %) et la province d'Ontario (49 %).

Créée en 1928, à Downsview (Ontario), pour assurer le montage et la vente des produits de sa maison mère britannique, de Havilland Canada a construit à ce jour quelque 7000 avions.

Après sa production du temps de guerre et la mise au point du Beaver*, conçu pour l'exploitation en brousse, de Havilland commence à se distinguer dans le créneau des avions à décollage et atterrissage courts (ADAC) au cours des années 50.

Durant les deux décennies suivantes, l'entreprise de Downsview met en marché des appareils à turbopropulsion qui inaugurent l'ère du transport aérien régional : le Twin Otter*, lancé dans les années 60 sous la propriété de Hawker Siddeley, et l'avion de ligne Dash* 7, lancé au milieu des années 70 après l'acquisition de la compagnie par le gouvernement canadien.

Aujourd'hui, de Havilland propose le Dash 8, qui fut le premier des avions de ligne régionaux de nouvelle génération dans les années 80. La combinaison de l'appareil turbopropulsé Dash 8 de de Havilland et du biréacteur Regional Jet de Canadair fait de Bombardier l'un des chefs de file mondiaux dans le marché des avions de transport régional.

Signature de l'entente de principe sur l'acquisition par Bombardier de l'actif canadien de la société ontarienne UTDC relié au matériel de transport, le 10 décembre 1991 : (à gauche) M. Gilles Pouliot, ministre des Transports de l'Ontario; et (à droite) Raymond Royer, président et chef de l'Exploitation de Bombardier.

Le système de métro léger automatisé SkyTrain livré par UTDC à Vancouver à l'occasion de l'exposition universelle de 1986.

Voitures de métro en aluminium fabriquées à l'usine de Thunder Bay de UTDC pour Toronto.

Véhicules légers sur rail produits par UTDC pour le comté de Santa Clara, en Californie. Quelque 250 véhicules du même type ont été livrés à la Toronto Transit Commission.

Exploitées sous le nom de GO-Train à Toronto, les voitures de service de banlieue à double niveau fabriquées par UTDC sont les plus grosses du genre au monde et peuvent transporter jusqu'à 400 passagers chacune.

Lors de la signature de l'entente de principe pour l'acquisition de l'avionneur ontarien de Havilland : (de gauche à droite) M. Ed Philips, ministre de l'Industrie, du Commerce et de la Technologie de l'Ontario; Laurent Beaudoin, président du Conseil et chef de la Direction de Bombardier; M. Bob Rae, premier ministre de l'Ontario; M. Jim O'Neil, secrétaire-trésorier national du syndicat des TCA; et M. Michael Wilson, ministre de l'Industrie, des Sciences et de la Technologie et ministre du Commerce extérieur du Canada.

L'avion de transport régional à turbopropulsion Dash 8 de Série 100, d'une capacité de 37 à 40 passagers, a remporté un grand succès depuis sa mise en service en 1984.

Le Dash 8 de Série 300, qui fut lancé en 1986 après l'acquisition de de Havilland Canada par Boeing. L'appareil, d'une capacité de 50 à 56 passagers, a été homologué en 1989.

Les grands projets de l'heure

Tout en consolidant les acquis récents, Bombardier demeure à l'affût d'occasions propices qui correspondent aux orientations et aux objectifs clairement définis dans sa mission d'entreprise.

Dans le domaine des produits de consommation motorisés, le maintien d'une position de chef de file passe obligatoirement par l'amélioration constante de la qualité et de la performance des motoneiges Ski-Doo et des motomarines Sea-Doo et par l'application d'une stratégie commerciale pointue et dynamique, en harmonie avec les attentes des consommateurs.

Bombardier, qui a fabriqué près de deux millions de motoneiges Ski-Doo depuis 1959, offre aujourd'hui une large gamme de modèles. La série de 1992 marque, en fait, une étape importante dans l'évolution de ce produit, car elle donne le signal de départ d'une toute nouvelle génération de motoneiges sportives, à la fine pointe de la technologie.

C'est par un cheminement similaire que Bombardier entend préserver la supériorité de la motomarine Sea-Doo, reconnue depuis les débuts du produit en 1988. La mise au point de modèles de plus en plus sûrs et performants devrait, dans ce cas, permettre à Bombardier de soutenir efficacement la concurrence dans un créneau de marché qui est devenu mondial en seulement quelques années.

De grands projets entrepris récemment visent, par ailleurs, à assurer l'avenir immédiat et à long terme des autres activités de la Société.

Pour les activités reliées au matériel de transport, cet avenir repose en partie sur la capacité de répondre aux besoins futurs de la clientèle et aux tendances qui se dessinent pour les années 2000.

Un projet amorcé au tout début de 1990 témoigne d'une telle capacité. Il s'agit de la conception, de la fabrication et de la mise à l'essai de prototypes de voitures de métro de nouvelle génération pour le compte de la New York City Transit Authority (NYCTA), la plus grande régie de transport urbain des États-Unis.

En 1990, Bombardier s'est fait le promoteur, avec son partenaire GEC Alsthom, d'une liaison TGV dans le corridor Québec–Windsor. Elle voit dans ce projet un bon point d'appui pour la commercialisation du TGV en Amérique du Nord, où plus de 20 corridors présentent le profil voulu pour l'implantation d'un tel système.

En Europe, la filiale française ANF-Industrie prépare aussi l'avenir, avec la réalisation d'un projet de conception et de fabrication de présérie de voitures pour la prochaine génération du métro de Paris.

Sur le plan international, Bombardier tire un prestige incontestable de sa participation à l'une des grandes réalisations techniques et financières du siècle, le tunnel sous la Manche. Elle est le seul membre nord-américain du consortium Euroshuttle qui a été choisi en 1989 pour produire les trains-navettes devant transporter les automobiles et les autocars dans le tunnel. Chef de file de la production des énormes wagons de ces trains, Bombardier réalise ce contrat par l'entremise de son Groupe matériel de transport–Amérique du Nord et de BN et ANF-Industrie en Europe. Le Groupe assure la conception des caisses et la fabrication des sous-ensembles en acier inoxydable, tandis que les deux entités européennes effectuent la conception des systèmes et l'assemblage final des wagons à simple niveau pour autocars (BN) et à double niveau pour automobiles (ANF-Industrie).

Dans le domaine de la défense, où les activités de recherche et de développement sont intimement liées à la capacité de croissance des entreprises, la mise au point du système de reconnaissance aérienne CL-227 chez Canadair et celle du système de défense aérienne rapprochée à haute vélocité Starstreak* chez Shorts devraient permettre à Bombardier de maintenir son avance dans deux créneaux hautement spécialisés qui lui offrent de bonnes perspectives de marché.

Pour Bombardier, l'anticipation des tendances du marché s'est traduite dans le domaine de l'aéronautique par le lancement, en 1991, d'un projet d'avion d'affaires de classe internationale, nommé provisoirement « Global Express » *. L'avion envisagé viendrait s'ajouter à la gamme d'avions d'affaires que propose déjà Bombardier et offrirait le summum de service et de confort aux dirigeants d'entreprises qui sont appelés à se déplacer de plus en plus loin, de plus en plus souvent et de plus en plus vite dans le contexte « global » de la conduite des affaires du XXIe siècle.

La Société a aussi pris une avance marquée dans le domaine des avions amphibies en mettant au point l'appareil turbopropulsé CL-415 *, qui prend la relève du CL-215 dont la tradition de lutte contre les feux de forêt remonte à près d'un quart de siècle. Le CL-415 a été mis en production en octobre 1991, à la suite de l'obtention d'une commande de 12 appareils passée par le gouvernement français. Il incorpore plusieurs caractéristiques nouvelles qui lui confèrent une efficacité accrue dans son rôle traditionnel d'amphibie anti-incendie.

En 1989, Bombardier est, par ailleurs, entrée par la grande porte dans le domaine des avions de ligne en lançant le Regional Jet de Canadair, un biréacteur de 50 places qui permet aux transporteurs aériens d'accroître la fréquence de leurs vols régionaux et de desservir des destinations peu achalandées en procurant plus de confort à leurs passagers. Le Regional Jet n'a pas à l'heure actuelle de concurrents dans sa catégorie, ce qui confère à Bombardier un avantage appréciable dans la conquête du marché de l'aviation commerciale régionale où la demande potentielle pour ce type d'avion a été évaluée à quelque 1200 appareils pour la décennie 90.

Comportant des cadrans translucides à éclairage diffusé par l'arrière, le tableau de bord du nouveau modèle de haute performance Formula MXZ illustre bien les caractéristiques d'avant-garde des motoneiges Ski-Doo de nouvelle génération.*

Le puissant et luxueux modèle GTX, offert pour la saison de ventes de 1992, s'inscrit dans le haut de la gamme des motomarines Sea-Doo.*

En 1991, le système de reconnaissance aérienne Sentinel CL-227 a participé aux manoeuvres de l'OTAN dans le cadre d'un programme de démonstration réalisé dans l'Atlantique nord depuis la frégate américaine USS Doyle.

Le missile à haute vélocité Starstreak a été conçu et mis au point pour répondre aux besoins de l'an 2000 de l'armée britannique en matière de défense aérienne rapprochée.

Les neuf prototypes de voitures de métro que Bombardier a conçus pour la NYCTA incorporent des éléments de haute technologie.

Bombardier, BN et ANF-Industrie travaillent conjointement à la construction des voitures des trains-navettes du tunnel sous la Manche.

Rame de présérie des futures voitures du métro de Paris,
conçue et fabriquée par ANF-Industrie.

Le TGV aux couleurs canadiennes, proposé par Bombardier et GEC Alsthom
pour assurer un service-voyageurs à grande vitesse dans le corridor Québec–Windsor.
Au Texas, les deux sociétés ont été choisies comme fournisseurs du matériel roulant pour
un projet de liaison TGV qui en est à l'étape de la mise sur pied du financement.

Grâce à sa vaste cabine à trois sections, identique par sa longueur à celle du Regional Jet, l'avion proposé dans le projet « Global Express » assurerait aux gens d'affaires et aux chefs d'État une efficacité et un confort remarquable sur de longs trajets de 12 heures.

L'avion amphibie turbopropulsé CL-415 que Canadair construit pour la Sécurité civile de France.

La sortie d'usine du RegionalJet le 6 mai 1991 a fait l'objet d'une cérémonie mémorable qui réunissait des employés de Canadair, ainsi que de nombreuses personnalités du monde de l'aéronautique et de l'aviation commerciale. À peine quatre jours après cet événement, le RegionalJet effectuait son vol inaugural.

Les défis de demain

Un remarquable chemin a été parcouru pendant le demi-siècle qui s'est écoulé depuis la constitution de L'Auto-Neige Bombardier en société en 1942.

Alors que l'inventeur et entrepreneur Joseph-Armand Bombardier avait créé son entreprise pour fabriquer des véhicules chenillés, Bombardier Inc. est aujourd'hui l'une des plus grandes sociétés manufacturières du Canada, avec une diversité de biens et de services dans quatre grands secteurs, soit les produits de consommation motorisés, le matériel de transport, l'aéronautique et la défense.

Le chiffre d'affaires de 1942-1943, qui était de 211 800 dollars, s'est maintes fois décuplé et centuplé pour atteindre trois milliards en 1991-1992.

Centrée pendant près de 30 ans dans la région des Cantons-de-l'Est du Québec, l'activité industrielle de Bombardier a largement dépassé les frontières du Canada durant les deux dernières décennies, rayonnant vers les États-Unis, le Mexique, l'Autriche, la Belgique, le Royaume-Uni, la France et la Finlande pour prendre une envergure internationale.

Tandis que L'Auto-Neige Bombardier recrutait sa clientèle dans les régions enneigées de l'Amérique du Nord, Bombardier sert maintenant une variété de clients sur les cinq continents et réalise plus de 90 % de ses ventes à l'extérieur du Canada.

Enfin, ayant ciblé tout au long de son évolution des créneaux de marché qui lui offraient un bon potentiel de croissance, la Société occupe maintenant une place de choix dans chacun de ces créneaux. C'est ainsi qu'elle propose aux marchés mondiaux une vaste gamme de véhicules pour le transport-voyageurs urbain, de banlieue et interurbain. Seul fabricant doté d'une ligne complète d'avions d'affaires à réaction, elle poursuit sa percée dans le créneau du transport aérien régional et se classe mondialement aux premiers rangs pour les systèmes de reconnaissance et de défense aérienne. Chef de file de l'industrie de la motoneige, elle dispose avec sa motomarine du produit qui connaît la meilleure croissance dans sa catégorie de marché. Ses filiales de financement de stocks, Crédit Bombardier Limitée et Bombardier Capital Inc., offrent leurs services à un large éventail d'industries dans le secteur des biens de consommation durables. Enfin, une autre filiale, créée en 1990, Bombardier Immobilier Ltée, assume désormais la mise en valeur de son patrimoine immobilier.

La Société peut donc s'appuyer sur une solide base pour relever les défis que pose la mondialisation des marchés.

ski-doo
ski-doo
ski-doo
ski-doo
ROTAX
ROTAX
SHORTS
SEA-DOO
Bombardier

L'avenir de Bombardier repose en grande partie sur le talent et l'engagement des quelque 32 000 hommes et femmes qui constituent «l'équipe» Bombardier. Cette page se veut un hommage à ceux et celles qui ont contribué depuis 50 ans à l'essor de l'entreprise, et un encouragement à la relève qui fait aujourd'hui ses premières armes.